Callum
Hodgson
5 1

Œuvres & thèmes

Collection dirigée

D0656047

La Chanson
de Roland

classiques Hatier

adaptation d'Anne-Marie Cadot-Colin

Hachette Livre 2007
Hatier
Paris 2010
ISBN 978-2-218-94478-9
ISSN 0184 0851

Hélène-Adeline Sarperi,
agrégée de lettres classiques

HATIER

L'air du temps

Le contexte

■ VIIIᵉ-Xᵉ siècles
• Les conquêtes arabes
s'étendent de la Chine
à l'océan Atlantique.
Les Arabes sont arrêtés
à Poitiers (732) par
Charles Martel, grand-père
de Charlemagne.
• Règne de Charlemagne
(768-814) sacré empereur
en l'an 800.
• Charlemagne favorise
le développement de la
chrétienté et étend son
empire ; mais il ne peut
venir à bout des Sarrasins
(musulmans) d'Espagne.
Son arrière-garde est écrasée
au col de Roncevaux en 778.
■ IXᵉ-Xᵉ siècles
Avec les héritiers
de Charlemagne, l'empire
se disloque. Les invasions
vikings ruinent l'autorité
royale, incapable de
repousser l'envahisseur.
Les seigneurs, possesseurs
de terres et de châteaux,
détiennent le pouvoir.
■ XIᵉ siècle
Les guerres féodales (entre
seigneurs), la conquête
de l'Angleterre en 1066
par le duc Guillaume de
Normandie, la première
Croisade (1095-1099)
favorisent l'éclosion
des chansons de geste qui
célèbrent l'héroïsme guerrier.

Les arts

• **1060** : début de
l'architecture romane.
Construction des églises :
Cluny (vers 1089), Vézelay
(début du XIIᵉ siècle).
• **Vers 1070** : exécution
de la tapisserie de Bayeux
racontant en 58 scènes
la conquête de l'Angleterre
par Guillaume,
duc de Normandie.
• **Vers 1100** : *La Chanson
de Roland*.

Linteau avec représentation
de *La Chanson de Roland*. Angoulême,
cathédrale Saint-Pierre, 1130.

Sommaire

Introduction

Une chanson de geste

Les **chansons de geste** (du latin *res gestae*, « exploits accomplis ») apparaissent en France au XIe siècle. Ce sont les **premières œuvres** littéraires écrites **en français**. Centrées autour de la figure de Charlemagne et de ses barons, elles s'inspirent des luttes menées entre les chrétiens et les Sarrasins (païens ou Infidèles) dans le cadre des Croisades ainsi que de la reconquête de l'Espagne maure (musulmane) par les souverains chrétiens.

Les chansons de geste sont **des épopées**, au même titre que *L'Iliade* et *L'Odyssée* d'Homère ou *L'Énéide* de Virgile. Mêlant histoire, légende et merveilleux chrétien (intervention des anges et des saints), elles racontent en les magnifiant les exploits de personnages historiques (Charlemagne, Guillaume d'Orange…).

Composée par des auteurs souvent anonymes, la chanson de geste est **un genre oral**. Le texte était dit par des jongleurs, accompagnés de la vièle (sorte de violon), dans les châteaux ou sur les routes des pèlerinages, surtout vers Saint-Jacques-de-Compostelle.

De l'histoire à la légende

La Chanson de Roland s'appuie sur des faits **historiques** qui se sont déroulés trois siècles avant l'écriture de l'œuvre : le 15 août 778, au retour d'une expédition victorieuse de Charlemagne en Espagne, l'arrière-garde de l'armée, commandée par le comte Roland, fut exterminée au passage des Pyrénées par des montagnards basques ou gascons qui écrasèrent les chevaliers sous des quartiers de rochers puis regagnèrent leurs abris, échappant à toute vengeance. Trois cents ans plus tard, la légende s'est emparée de l'histoire pour lui donner un caractère grandiose.

Les adversaires ne sont plus d'obscurs montagnards basques mais cent mille Sarrasins, ou Infidèles. Face à eux, Roland, qui devient le neveu de Charlemagne, et à l'arrière-garde, les douze pairs de France. L'événement prend une autre dimension : il est célébré comme un épisode victorieux des Croisades.

La Chanson continue par les représailles de Charles contre les Sarrasins et contre Ganelon car, dans toute épopée, il faut que les « bons » soient récompensés et les « méchants » punis.

Le texte

Le texte écrit à la fin du XIᵉ siècle en dialecte **anglo-normand** (dialecte de l'ancien français) se présente sous la forme de **4 002 vers** décasyllabes (dix syllabes) répartis en 292 laisses (strophes d'inégales longueurs) présentant tous la même assonance (retour de la même voyelle en fin de vers).

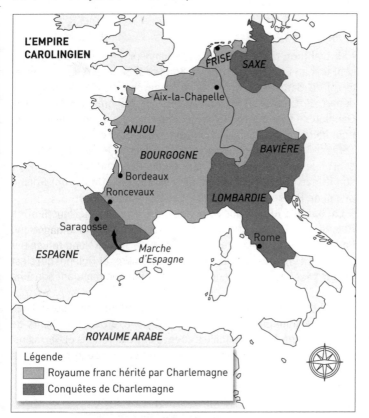

L'EMPIRE CAROLINGIEN

FRISE
SAXE
Aix-la-Chapelle
ANJOU
BOURGOGNE
BAVIÈRE
Bordeaux
Roncevaux
LOMBARDIE
Saragosse
Rome
ESPAGNE
Marche d'Espagne

ROYAUME ARABE

Légende
Royaume franc hérité par Charlemagne
Conquêtes de Charlemagne

La Chanson porte la signature d'un certain Turoldus (Turold), (voir p. 91) : « *Ci falt la geste que Turoldus declinet.* »

Il s'agit certainement **d'un clerc**, c'est-à-dire d'un homme cultivé appartenant au clergé. Mais l'interprétation du mot *declinet* pose problème. Ce verbe peut vouloir dire transcrire, recopier, traduire… Turold serait-il l'auteur ou un des auteurs ? un traducteur ? un remanieur ? un récitant ? un copiste ? Nous savons qu'au Moyen Âge, il n'y avait pas de propriété littéraire. Les textes, avant d'être fixés à l'écrit, étaient récités mais aussi remaniés et modifiés par le jongleur au gré des circonstances et de son public, ce qui explique les nombreuses variantes d'un même récit.

Résumé de l'œuvre

• **La trahison de Ganelon :** Charlemagne a mené une croisade de sept ans en Espagne, contre les Sarrasins. Seul lui résiste Marsile, le roi de Saragosse, qui promet de se convertir en échange du départ de Charlemagne. Roland, croyant honorer son beau-père Ganelon, le fait désigner comme ambassadeur auprès de Marsile, pour mener la négociation. Contraint d'accepter cette mission dangereuse, Ganelon, furieux, jure de se venger de Roland en le trahissant : il le fera nommer à l'arrière-garde, et quand Charlemagne et son armée seront loin, les troupes de Marsile attaqueront Roland au col de Roncevaux, dans les Pyrénées (voir carte).

• **La bataille de Roncevaux :** quand Olivier, le meilleur ami de Roland, voit arriver l'armée ennemie, il essaie de persuader Roland de sonner du cor pour avertir Charlemagne. Mais Roland refuse par orgueil. Les Francs sont vaincus par le nombre. Et Roland, qui s'est décidé trop tard à sonner du cor, meurt en recommandant son âme à Dieu.

• **La vengeance de Charlemagne :** Charlemagne poursuit les Sarrasins. Mais Baligant, l'émir de Babylone, arrive au secours de Marsile et une grande bataille s'engage entre chrétiens et Sarrasins. Après son triomphe, Charlemagne rentre en France et fait juger et exécuter Ganelon.

La Chanson de Roland

Charlemagne découvrant le corps de Roland, Olivier et les Francs morts, supplice de Ganelon. Manuscrit *Grandes Chroniques de France*, XVIe siècle. Paris, BNF.

Extrait 1

« Seigneurs barons, vous irez trouver Charlemagne »

Prologue

Le roi Charlemagne, notre grand empereur[1], a passé sept années entières en Espagne[2]. Il a conquis les hautes terres jusqu'à la mer. Pas un château ne lui a résisté. Pas une muraille, pas une cité ne reste à prendre d'assaut, pas une, sauf Saragosse[3], qui
5 se dresse sur une montagne. C'est le roi Marsile qui la tient, un ennemi de Dieu, car il sert Mahomet, Tervagant et Apollin[4]. Mais il ne pourra empêcher le malheur de l'atteindre.

1
À Saragosse

Le roi Marsile est allé s'installer dans un verger[5] ombragé, et là, il s'allonge sur un perron[6] de marbre bleu. Autour de lui, il a plus
10 de vingt mille hommes. Il interpelle alors ses ducs et ses comtes[7] :
« Apprenez, seigneurs, quel malheur nous accable ! Charlemagne, l'empereur des Francs, est venu nous écraser

---

1. Charlemagne est, à l'origine, le roi des Francs. Ce n'est qu'en l'an 800 qu'il devient empereur d'Occident. Le texte le désigne aussi bien par le titre de roi que par celui d'empereur.
2. À l'époque, l'Espagne est sous la domination des Arabes, qui y ont établi plusieurs royaumes musulmans.
3. Saragosse, ville du nord de l'Espagne, est encore de nos jours la capitale de la province d'Aragon. Mais elle est en réalité située dans une grande plaine.

4. Dans les chansons de geste, l'islam est représenté de manière fausse, comme une religion polythéiste (qui a plusieurs dieux). On place à côté de Mahomet deux autres dieux, Apollin et Tervagant (d'origine peu claire).
5. Lieu planté d'arbres fruitiers.
6. Une pierre.
7. Les textes occidentaux de l'époque imaginent les royaumes musulmans à l'image du leur, avec les mêmes titres donnés aux dignitaires : comtes, ducs, barons, vassaux, chevaliers.

dans ce pays. Je n'ai pas d'armée capable de lui livrer bataille, pas de guerriers qui puissent mettre les siens en déroute[8]. Conseillez-moi comme doivent le faire de sages vassaux, et préservez-moi de la mort et de la honte. »

Aucun Sarrasin[9] ne trouve un mot pour lui répondre, à l'exception de Blancandrin du château de Valfonde, un des plus sages parmi les païens. Chevalier renommé pour sa bravoure, c'est aussi un homme avisé, capable de bien conseiller son seigneur. Il s'adresse au roi :

« Ne vous effrayez pas ! Faites transmettre à Charlemagne, ce souverain orgueilleux et farouche, votre promesse de loyal service et de grande amitié. Vous lui offrirez en cadeau des ours, des lions et des chiens, sept cents chameaux et mille éperviers[10], quatre cents mulets chargés d'or, d'argent, et un convoi de cinquante chariots : avec cela, il pourra largement payer ses soldats. Il a longuement guerroyé dans cette contrée, et il faut bien qu'il rentre en France, à Aix-la-Chapelle[11]. Vous lui jurerez de le rejoindre à la fête de saint Michel, de vous convertir au christianisme et devenir son vassal[12] en tout bien tout honneur. S'il veut des otages, fort bien, vous lui en enverrez dix ou vingt pour gagner sa confiance. Nous sommes prêts à lui remettre nos propres fils. Je lui enverrai le mien, même au risque de sa vie. Il vaut mieux qu'ils y laissent leur tête, plutôt que nous perdions terres et biens : nous en serions réduits à mendier !

« Par ma barbe et par ma main droite que voici, vous verrez aussitôt l'armée des Francs se disloquer. Ils regagneront la

---

8. Mettre un ennemi en déroute : le battre, le faire fuir.

9. Les peuples musulmans sont appelés dans les chansons de geste Sarrasins ou païens. On trouve aussi Maures.

10. Ces présents d'une grande richesse étaient très appréciés à l'époque : on offrait aux souverains des animaux exotiques pour leurs ménageries (lions, chameaux), et des bêtes dressées pour la chasse (chiens, éperviers).

11. Capitale de Charlemagne. Actuellement en Allemagne, elle est alors située au cœur du royaume des Francs.

12. Le vassal recherche la protection d'un seigneur plus puissant, son suzerain, à qui il doit aide et loyauté.

France, leur pays. Et quand chacun sera dans son domaine
40 préféré, quand Charlemagne sera dans son palais d'Aix-la-
Chapelle, il donnera une grande fête pour la Saint-Michel.
Mais le jour fixé passera sans qu'il entende de nos nouvelles.
Le roi est violent, et son cœur cruel : il fera trancher la tête de
nos otages. Mais nous, nous aurons sauvé notre bien le plus
45 cher : la brillante, la belle Espagne ! »

Les païens se disent : « Il a peut-être bien raison ! » Marsile
appelle alors Clarin de Balaguer, Estramarin et Endropin, et
Priamon et Garlan le Barbu[13], il appelle dix de ses barons,
ainsi que Blancandrin, et leur expose sa décision :

50 « Seigneurs barons, vous irez trouver Charlemagne, qui en
ce moment assiège la cité de Cordres. Vous porterez entre vos
mains des branches d'olivier, en signe de paix et de soumission.
Vous direz pour moi au roi que je le supplie au nom de son
Dieu. Avant la fin de ce mois, je le rejoindrai avec mille de
55 mes fidèles et je me convertirai à la foi chrétienne. Je serai son
vassal en toute amitié et loyauté. S'il veut des otages, il en aura
assurément. Usez de toute votre adresse pour me réconcilier
avec lui, et moi, je vous donnerai or et argent en quantité, et
des terres autant que vous voudrez. »

60 Les païens sont satisfaits de l'offre, et Blancandrin pense
trouver un bon accord. Marsile a fait amener dix mules blanches. Les freins[14] sont en or, les selles incrustées d'argent. Voilà
les messagers à cheval, des branches d'olivier[15] à la main. Ils
vont trouver Charlemagne, qui règne sur la France. Il ne pourra
65 éviter le piège qu'ils lui tendent.

---

13. Les païens sont en général pourvus de noms de fantaisie, plutôt pittoresques, mais qui n'ont rien d'arabe.
14. Le frein est une partie du harnachement d'un cheval (ou d'une mule) : situé dans la bouche de l'animal, il permet de le guider et de contrôler son allure.
15. Depuis l'Antiquité, l'olivier est un symbole de paix.

Questions

Repérer et analyser

Le prologue

1 Par quels mots l'épopée commence-t-elle ? Qui en est le personnage central ?

2 **a.** Pendant combien de temps Charlemagne a-t-il guerroyé en Espagne ?

b. Quelle est la seule ville qui lui a résisté ? Aux mains de qui cette ville est-elle ?

c. La répétition et la gradation

> La répétition consiste à reprendre une ou plusieurs fois un mot ou un groupe de mots dans un même passage. Elle crée un effet d'insistance.
> La gradation consiste à énumérer des termes dans un ordre croissant ou décroissant (du plus faible au plus fort ou inversement).

« Pas un château […] sur une montagne. » (l. 3-5) : quelle est la forme de phrase dominante ? Relevez la répétition et la gradation. Quel effet ces figures produisent-elles ?

3 **a.** Comment Marsile est-il présenté ?

b. Quelle erreur la chanson de geste commet-elle sur l'islam ?

La mise en place de l'action

Le cadre et les personnages

4 Où la scène se déroule-t-elle ? Relevez des termes précis.

5 Qui sont les personnages présents ? Citez le texte.

6 Dans quel état le roi Marsile et ses troupes se trouvent-ils ? Qui est responsable de leur malheur ?

Le discours de Blancandrin

7 Qui est Blancandrin ?

8 Quel est le plan de Blancandrin ? Quel temps de l'indicatif utilise-t-il de façon dominante pour exposer son plan ?

9 L'énumération

> L'énumération consiste à énoncer une série de termes de même classe grammaticale. L'énumération crée un effet d'abondance.

Faites la liste des cadeaux que Blancandrin propose d'offrir à Charlemagne. Relevez les déterminants des noms. En quoi ajoutent-ils à l'effet d'abondance ?

10 Quel sacrifice Blancandrin est-il prêt à faire ? Qu'est-ce qui le pousse à faire un tel sacrifice ?

11 Quelle opinion a-t-il de Charlemagne ? Citez le texte.

12 Quelle décision Marsile prend-il à la suite de ce discours ?

Chrétiens et païens

13 Par quel terme les Sarrasins sont-ils désignés ?

14 Relevez les passages qui se réfèrent à la religion chrétienne. Montrez que le plan de Blancandrin repose sur un enjeu religieux.

L'annonce de la suite

15 L'anticipation

Dans un récit, l'anticipation consiste à annoncer des faits qui surviendront un peu plus tard dans la narration. L'anticipation crée un effet de dramatisation et suscite la curiosité du lecteur.

Quel passage du prologue annonce un malheur à venir ? Pour qui ?

16 **a.** Les Sarrasins tiendront-ils la promesse qu'ils vont faire à Charlemagne ? Justifiez votre réponse en citant le texte.

b. Quelle menace pèse sur Charlemagne ?

Étudier la langue

La laisse

La Chanson de Roland est divisée en strophes d'inégales longueurs appelées laisses. Ces laisses sont écrites en décasyllabes (vers de dix syllabes), à la fin desquels revient une assonance (répétition d'un même son voyelle).

Voici la première laisse de *La Chanson de Roland*, telle qu'elle nous est parvenue en ancien français :

Carles li reis, nostre emperere magnes,
Set anz tuz pleins ad estet en Espaigne :
Tresqu'en la mer cunquist la tere altaigne.
N'i ad castel ki devant lui remaigne ;
Mur ne citet n'i est remés a fraindre,
Fors Sarraguce, ki est en une muntaigne.
Li reis Marsilie la tient, ki Deu nen aimet.
Mahumet sert e Apollin recleimet :
Nes poet guarder que mais ne l'i ateignet.

> Texte établi d'après le manuscrit d'Oxford,
> cité dans *La Chanson de Roland*, Gérard Moignet, Bordas, 1969.

Le décompte des syllabes

– Le « e » à la fin d'un mot compte pour une syllabe si le mot suivant commence par une consonne. Sinon, le « e » ne compte pas.
– À la fin d'un vers, le « e » ne compte pas, même suivi de -s ou -nt.

Car	les	li	reis,	nost	r(e)	em	pe	re	re	magn(es)
1	2	3	4	5	6		7	8	9	10

17 **a.** Recopiez les vers 2 et 3 en séparant les syllabes par un trait.

b. Relevez l'assonance en fin de vers (la sonorité dominante ; ce peut être des sonorités proches).

c. Complétez la traduction en français moderne :

.... le ......, ... grand
.... tout pleins a été en .... :
Jusqu'à la ...... il a .... la .... haute.
Il n'y a château qui .... résiste ;
...... ni cité n'y reste à briser,
Hors .... qui ...... sur ....
Le ...., qui n'aime pas Dieu.
Il .... et invoque .... :
Il ne peut se garder que le malheur ne l'..............

Le vocabulaire de la religion

18 Donnez le nom de la religion correspondante.
Ex. : protestant → protestantisme
a. chrétien. **b.** catholique. **c.** païen. **d.** musulman. **e.** juif.

« Qui enverrons-nous comme messager à Saragosse? »

2
Le conseil de Charlemagne

Charlemagne vient de prendre la ville de Cordres en Espagne (on ne sait s'il s'agit de Cordoue en Andalousie ou de Cortès en Aragon). Il est assis dans un verger entouré de ses hommes. Parmi eux se trouvent Roland et Olivier.

Au pied d'un pin, près d'un églantier, on a placé un trône fait d'or pur : c'est là qu'est assis le roi, qui gouverne la douce France. Il a la tête blanche et la barbe fleurie, le corps bien fait et l'allure fière. Pas besoin de le désigner à celui qui le
5 cherche : à le voir, on comprend aussitôt qu'il est le roi.

Les messagers ont mis pied à terre et le saluent avec de grandes marques d'amitié et d'estime. Blancandrin a pris la parole :

« Que Dieu vous garde, le Dieu glorieux que nous devons adorer ! Voici le message du noble roi Marsile : il s'est fait
10 instruire sur la religion chrétienne. Ses richesses, il veut vous en faire don : ours et lions et chiens de chasse tenus en laisse, sept cents chameaux et mille éperviers, quatre cents mulets chargés d'or et d'argent, cinquante chariots en convoi. Là-dedans, tant de pièces d'or pur que vous pourrez grassement
15 payer vos soldats. Vous êtes resté bien longtemps dans ce pays : vous devriez rentrer à Aix, en France. C'est là que mon maître vous rejoindra, soyez-en sûr. »

L'empereur baisse la tête et commence à réfléchir. Selon son habitude, il prend son temps et ne parle pas à la légère. Quand il
20 se redresse, son visage est farouche. Il répond aux messagers :

« Vous avez bien parlé. Mais le roi Marsile est mon grand ennemi. Toutes vos belles paroles, comment pourrai-je m'y fier ?

– Sur la foi des otages ! Vous en aurez dix, quinze, vingt, et des plus nobles. Je mettrai parmi eux mon fils, même s'il risque
25 d'y périr. Quand vous serez dans votre palais royal, à la grande fête de Saint-Michel-du-Péril[1], mon maître vous rejoindra, et dans vos bains[2] il se fera baptiser.

– Il est vrai que, par ce moyen, son âme pourrait être sauvée. »

30 La soirée est belle et le soleil brille encore. Le roi a fait mettre à l'écurie les dix mulets et dresser une tente pour loger les messagers. Le lendemain matin, après avoir écouté la messe, Charlemagne a convoqué ses barons[3] à son conseil : il ne veut rien décider sans l'avis de ses Francs.

35 L'empereur est allé siéger sous un pin. À son côté il a fait venir ses barons : le duc Ogier et l'archevêque Turpin, Richard le vieux et le vaillant comte de Gascogne Ancelin, Thibaut de Reims et son cousin Milon. Parmi eux se trouvent le comte Roland son neveu, et Olivier, le vaillant et le noble, et beaucoup
40 d'autres Francs de France. Il y a aussi Ganelon, qui fera la trahison. Alors commence ce conseil de malheur.

« Seigneurs barons, dit l'empereur Charlemagne, le roi Marsile m'a envoyé des messagers. Il veut me donner des richesses à profusion : ours, lions et chiens dressés, sept cents chameaux
45 et mille éperviers, quatre cents mulets chargés d'or d'Arabie, et plus de cinquante chariots. Mais il me demande de retourner en France : il me suivra à Aix, où je réside, et il se convertira

---

1. L'archange saint Michel est souvent désigné par le nom de son célèbre sanctuaire en Normandie : le Mont Saint-Michel, où il protège ceux qui sont « au péril de la mer ».
2. Aix-la-Chapelle est une ville d'eaux. Charlemagne avait fait aménager dans son palais des thermes qu'il utilisait

très volontiers pour se baigner.
3. Les barons sont les meilleurs chevaliers, les plus expérimentés. Ce sont des seigneurs puissants que le roi consulte avant de prendre une décision : il réunit alors son conseil, assemblée des barons.

alors à la vraie religion. Il sera mon vassal et tiendra pour moi les marches[4] du royaume. Mais je ne sais pas ce qu'il a dans 50 le cœur. »

Charlemagne a fini son discours. Le comte Roland se redresse : il n'est pas d'accord et va apporter la contradiction. Il se tourne vers le roi :

« Malheur à vous si vous croyez Marsile ! Voilà sept ans 55 que nous sommes en Espagne. J'ai conquis pour vous Balaguer et Tudèle et Séville. Le roi Marsile vous a alors envoyé quinze messagers avec des branches d'olivier, qui vous ont dit les mêmes paroles que maintenant. Sur l'avis de votre conseil, vous leur avez dépêché[5] deux comtes, Basan et Basile, et Marsile 60 leur a fait trancher la tête. Voilà la confiance qu'on peut lui faire ! Non, vous devez continuer à lui faire la guerre. Conduisez votre armée et mettez le siège devant Saragosse, et vous vengerez ceux que ce traître fit jadis tuer. »

L'empereur garde la tête baissée. Pensif, il se caresse la barbe 65 et lisse sa moustache, sans approuver ni blâmer son neveu. Les Francs se taisent, sauf Ganelon. Il s'est dressé et s'avance vers l'empereur. Là, il parle avec arrogance[6] :

« Malheur à vous si vous croyez un fou, qui ne parle pas dans votre intérêt ! Le roi Marsile a promis de devenir votre 70 vassal et de défendre l'Espagne pour votre compte. Il adoptera notre religion. Celui qui vous conseille de rejeter cette offre se moque de quelle mort nous mourrons. Conseil qui vient d'orgueil ne doit pas triompher. Laissons là les fous, et suivons les sages ! »

---

4. Les marches sont les provinces situées aux frontières du royaume. Comme elles sont en général menacées par les ennemis, on les confie à un vassal de grande valeur, appelé marquis.

5. Envoyé.
6. Avec insolence et mépris.

Le duc Naimes s'est ensuite avancé. Il n'y a pas vassal plus sage à la cour.

« Seigneur, dit-il au roi, vous avez entendu les paroles du comte Ganelon. Il vous a donné un conseil plein de sagesse. Le roi Marsile a perdu cette guerre : vous lui avez pris ses châteaux, démoli ses murailles et brûlé ses cités. S'il vous demande merci[7], ce serait péché de vous acharner contre lui. Puisqu'il peut nous donner la garantie des otages, cette grande guerre ne doit pas se prolonger. »

Les Francs jugent que le duc a bien parlé.

« Seigneurs barons, dit Charlemagne, qui enverrons-nous comme messager à Saragosse, auprès du roi Marsile ?

– Accordez-moi d'y aller, dit le duc Naimes. Donnez-moi maintenant le gant et le bâton[8].

– Par ma barbe, s'écrie le roi, il n'en est pas question. Vous ne vous éloignerez pas de moi. Quel autre messager pourrons-nous trouver ?

– Je peux très bien y aller, propose Roland.

– Certainement pas, proteste le comte Olivier. Votre caractère est violent et farouche, et une querelle aurait tôt fait d'éclater. Si le roi l'accepte, j'irai à Saragosse.

– Taisez-vous tous les deux, répond le roi. Jamais vous n'y mettrez les pieds. Par ma barbe que vous voyez toute blanche, personne ne désignera aucun des douze pairs[9] ! »

---

7. La merci est la pitié, la grâce que l'on fait à quelqu'un en l'épargnant. Demander, crier merci à un adversaire, c'est implorer sa grâce. Un combat sans merci est un combat à mort, sans pitié. Quand on est à la merci de quelqu'un, on dépend de sa pitié, de sa grâce.
8. Le gant et le bâton représentent la main et le sceptre du roi (le sceptre est un bâton précieux, symbole de commandement). Confiés à un ambassadeur, ils montrent que le roi lui délègue momentanément son pouvoir.
9. Les douze pairs sont l'élite guerrière de Charlemagne : ce sont ses douze meilleurs chevaliers, égaux (pairs) en valeur et en dignité. La tradition les représente au nombre de douze, à l'image des douze apôtres (compagnons) du Christ.

Tous se taisent, abasourdis. L'archevêque Turpin de Reims
100 s'est alors avancé.

« Laissez vos Francs tranquilles ! Depuis sept ans qu'ils sont
dans ce pays, ils ont souffert bien des peines et des tourments.
Donnez-moi, seigneur, le bâton et le gant, j'irai chez le Sarrasin
d'Espagne, et je verrai ce qu'il en est. »

105 L'empereur répond, furieux :

« Allez vous asseoir sur ce tapis blanc, et n'en parlez plus
sans en avoir reçu l'ordre ! »

Charlemagne, se tournant vers les siens, reprend alors :

« Nobles chevaliers, choisissez un baron de mon royaume
110 pour porter mon message à Marsile.

– Eh bien, ce sera Ganelon, mon parâtre[10] », lance alors
Roland.

Les Francs approuvent. On ne saurait trouver un messager
plus sage. Le comte Ganelon est envahi par l'angoisse. Il arrache
115 de son cou ses fourrures de martre[11] et reste en son bliaut[12]
de soie. C'est un bel homme à la poitrine large. Ses yeux sont
vifs et son visage plein de fierté. Il est si beau que tous ses
compagnons le regardent.

« Insensé, dit-il à Roland, quelle rage t'a saisi ? On sait bien
120 que je suis ton parâtre. Et toi, tu as décidé que j'aille chez
Marsile ? Si Dieu m'accorde de revenir sain et sauf, je te ferai
plus de mal que tu n'auras à en subir de ta vie.

– Paroles d'orgueil et de folie ! répond Roland. Je me moque
des menaces, on le sait bien. Mais si le roi y consent, je veux
125 bien porter le message à votre place.

– Tu n'iras pas à ma place. Tu n'es pas mon vassal, je ne
suis pas ton seigneur. Charlemagne m'ordonne de le servir :

---

10. Le parâtre est le beau-père
(correspondant à marâtre, la belle-mère).
Ganelon a épousé en secondes noces la
sœur de Charlemagne, mère de Roland.

11. Petit mammifère dont la fourrure est
recherchée pour faire des manteaux.
12. Le bliaut est une tunique, faite en
général dans un tissu de prix.

j'irai à Saragosse, je verrai Marsile. Mais je m'amuserai un peu, avant de calmer cette grande colère qui est en moi. »

30 Roland éclate de rire à ces mots. Ganelon, devant ce rire, manque de s'étrangler de rage et crie au comte :

« Je vous déteste. Vous avez fait tomber sur moi un choix injuste. »

Puis, se tournant vers Charlemagne :

35 « Juste empereur, me voici devant vous. Je suis prêt à obéir à vos ordres. Je sais bien qu'il me faut aller à Saragosse, et celui qui s'y risque ne peut en revenir. Seigneur, je vous confie mon épouse, votre sœur. Elle m'a donné un fils, le plus beau qui puisse être : c'est Baudoin, et il sera un bon chevalier. C'est

40 à lui que je laisse ma terre et mes fiefs. Veillez sur lui, car je ne pense pas que mes yeux le reverront.

– Vous avez le cœur trop tendre, répond l'empereur. Puisque je vous l'ordonne, il vous faut y aller. Avancez-vous, vous allez recevoir le gant et le bâton. Vous l'avez entendu, c'est vous

45 que les Francs ont choisi.

– Seigneur, c'est Roland qui a tout fait. Je le détesterai toute ma vie, et avec lui Olivier, car il est son ami, et les douze pairs, parce qu'ils l'aiment tant. Je les défie tous, seigneur, ici même devant vous.

50 – Vous avez trop de rancœur. Oui, vous allez partir, c'est mon ordre.

– Je partirai, mais sans aucune garantie, pas plus que n'en ont eu Basile et son frère Basan. »

L'empereur lui tend son gant droit, mais le comte Ganelon

55 aurait bien voulu ne pas être là. Quand il s'avance pour le prendre, le gant tombe à terre. Les Francs s'écrient :

« Mon Dieu, quel signe ! De cette ambassade nous viendra grande perte !

– Seigneurs, fait Ganelon, vous en entendrez des

60 nouvelles. »

Le comte a pris congé du roi, qui lui a donné sa bénédiction :

« Allez, au nom de Jésus et en mon nom ! »

De sa main droite, il a fait sur lui le signe de croix, puis lui

165 a remis le bâton et la lettre.

Le comte Ganelon retourne à son logis et prépare son équipement. Il a fixé à ses pieds ses éperons d'or et ceint Murglis[13], sa bonne épée. Il est monté sur son destrier[14], son oncle Guinemer lui tenant l'étrier[15]. Vous auriez vu tous les cheva-

170 liers de son lignage[16] pleurer et se lamenter sur son sort :

« À quoi bon tant de valeur ? Vous avez pourtant servi le roi en noble vassal. Malheur au comte Roland qui vous a désigné ! Il n'aurait même pas dû avoir cette idée. Emmenez-nous donc avec vous, Seigneur !

175   — À Dieu ne plaise ! Il vaut mieux que je sois le seul à mourir. Vous repartirez, seigneurs, vers la douce France. Là vous saluerez pour moi ma femme, et Pinabel, mon ami et mon compagnon, et Baudoin mon fils que vous connaissez bien. Vous l'aiderez et le tiendrez pour votre seigneur. »

180   Il prend alors la route, le voilà parti.

---

13. Les épées portent des noms propres dans les chansons de geste.
14. Le destrier est un cheval de bataille, rapide et fougueux, dressé pour le combat à la lance. On le ménage et, quand le chevalier ne le monte pas, l'écuyer le mène à côté en le guidant par la main droite (dextre).

15. Tenir l'étrier à quelqu'un, pour l'aider à se mettre en selle, est un geste d'attention, de politesse.
16. Le lignage est l'ensemble des personnes qui ont le même ancêtre, donc la famille très élargie. Les membres d'un même lignage sont solidaires les uns des autres. Quand un tort est fait à l'un d'entre eux, tous cherchent à le défendre.

Questions

Repérer et analyser

La structure et la progression du récit

1 **a.** Quelles sont les deux parties qui composent le récit ? Relevez une indication chronologique qui sépare les deux parties.
b. Sur combien de jours les événements racontés s'étendent-ils ?
2 **a.** Quels sont les personnages qui viennent voir Charlemagne ?
b. Quel est celui qui s'adresse à lui ?
c. Quel message lui porte-t-il ? De la part de qui ?
3 Charlemagne accepte-t-il la proposition qui lui est faite ?
4 **a.** Quel personnage est désigné pour être l'ambassadeur de Charlemagne ?
b. Dans quelle ville doit-il se rendre ?

Le portrait de Charlemagne

5 Comment Charlemagne est-il physiquement représenté dans *La Chanson de Roland* ? Citez des expressions précises.
6 **a.** De quelle façon prend-il ses décisions politiques ? Justifiez votre réponse.
b. Relevez les passages dans lesquels il fait preuve d'autorité.

Le conseil

7 Pourquoi Charlemagne réunit-il son conseil ? Quelle question soumet-il à la réflexion de ses pairs ?
8 **a.** Quel conseil Roland donne-t-il à Charlemagne ? Quels arguments avance-t-il ?
b. Quel est l'avis des autres chevaliers ?
9 **a.** Quels sont les différents personnages qui se proposent pour partir en ambassade ?
b. Quelle réponse Charlemagne fait-il à chacun d'eux ? Quelle justification leur donne-t-il ?
10 **a.** Qui est finalement désigné ? Par qui ?
b. Pourquoi les Francs approuvent-ils ce choix ? Citez le texte.

Roland et Ganelon

11 a. Comment Ganelon réagit-il lorsque Roland le désigne comme ambassadeur de Charlemagne ? Citez des passages précis.

b. Comment juge-t-il la mission qui lui est confiée ?

c. Quelles menaces lance-t-il à Roland ?

d. Pourquoi Roland rit-il ?

12 Selon vous, Roland a-t-il désigné Ganelon comme ambassadeur pour lui tendre un piège ou, au contraire, par estime ? Peut-on dire que l'action se déclenche sur un malentendu ?

13 « Vous avez le cœur trop tendre » (l. 142), « Vous avez trop de rancœur » (l. 150). Pour quelle raison Charlemagne est-il amené à tenir ces propos à Ganelon ?

14 Quels sont les traits physiques de Ganelon ? Correspondent-ils à ceux d'un personnage « qui fera la trahison » (l. 40-41) ?

L'écriture épique

Les répétitions

Les répétitions sont fréquentes dans les chansons de geste. Le texte est en effet conçu pour la mémorisation : les répétitions permettent des oublis au jongleur sans qu'il y ait rupture de sens ; elles permettent aussi aux auditeurs inattentifs de ne pas perdre le fil de l'histoire.

15 Relisez le discours de Charlemagne (l. 42-50). Montrez qu'il reprend presque mot pour mot le discours de Blancandrin. Retrouvez dans l'extrait précédent ces mêmes paroles prononcées par Blancandrin.

Les formules épiques

Un certain nombre de formules toutes faites sont souvent répétées dans les chansons de geste.

16 Quels adjectifs répétés caractérisent la France et la barbe de Charlemagne dans *La Chanson de Roland* ?

La dimension dramatique de la scène

17 a. Relevez dans les l. 35-41 les mots et expressions par lesquels le narrateur annonce la suite de l'action.

b. Quel incident peut être considéré comme un signe prémonitoire ?

c. À quelle suite l'auditeur s'attend-il ?

Étudier la langue

Vocabulaire : la merci

« Merci » vient du latin *merces* qui signifie salaire, d'où prix et par extension, faveur, grâce.

18 Que signifient les expressions suivantes ?
a. être à la merci de quelqu'un. **b.** un combat sans merci. **c.** Dieu merci. **d.** remercier ou dire merci.

Grammaire

19 « Celui qui vous conseille de rejeter cette offre se moque de quelle mort nous mourrons. » (l. 71-72). Quels sont le temps et le mode de « mourrons » ? Donnez l'infinitif du verbe.

Écrire

Écrire un dialogue

20 « Vous repartirez, seigneurs, vers la douce France. Là vous saluerez pour moi ma femme […] » (l. 176). Les chevaliers racontent à la femme de Ganelon comment son époux a été désigné pour aller à Saragosse et quel désir de vengeance l'anime.
Consignes d'écriture :
– rapportez les paroles directement (sous forme d'un dialogue entre les chevaliers et la femme) ;
– respectez les éléments fournis par le texte ;
– n'oubliez pas que les chevaliers prennent parti pour Ganelon.

Se documenter

Le portrait de Charlemagne : histoire et légende

Le nom de Charlemagne, qui vient du latin *Carolus magnus* (« Charles le Grand »), ne sera donné à Charles (tel est son nom) qu'après sa mort, au IXᵉ siècle.

« Son apparence physique a aussi été modifiée par la légende : la réalité historique nous est connue par le portrait que trace de lui la

Vita Karoli. Le texte a été écrit en 840, donc bien après sa mort (812), mais par son ami et chroniqueur Eginhard, qui l'a longuement fréquenté. Il le décrit à l'époque où il l'a connu, déjà vers la cinquantaine, "avec le sommet de la tête rond, les yeux grands et vifs, le nez excédant un peu la grandeur moyenne, de beaux cheveux blancs, la face gaie et joyeuse". Charlemagne est de belle stature, surtout pour son époque : il mesure près de deux mètres. Mais Eginhard mentionne aussi le cou gras et trop court, le ventre trop gros et la voix faible. Le portrait reste malgré tout celui d'un colosse assez impressionnant. Et la fameuse barbe ? Tout comme son portrait par Eginhard, les représentations de son époque (des monnaies, une statuette conservée au Louvre) le montrent moustachu, mais jamais barbu : la barbe fleurie, c'est-à-dire blanche, ne lui sera prêtée que par la légende, comme signe de majesté et de sagesse. »

(in *La Chanson de Roland*, édition LPJ, 2007.)

Portrait de Charlemagne. Miniature, art gothique, vers 1450.
Linz, Oberösterreichische Landesbibliothek.

Extrait 3

« Jurez-moi que vous allez trahir Roland ! »

3
La trahison

Ganelon a rejoint les messagers sarrasins. Ensemble ils chevauchent sous les oliviers. Mais voici que Blancandrin s'approche de lui pour engager la conversation. Tous deux vont faire preuve de la même habileté.

5 « Charlemagne est un homme prodigieux, dit Blancandrin. Il a conquis la Pouille et toute la Calabre[1], il a franchi la mer salée pour aller jusqu'en Angleterre. Pourquoi vient-il nous provoquer ici, dans notre terre ?

– C'est dans son caractère, répond Ganelon. Aucun homme 10 ne pourra jamais se mesurer à lui.

– Les Francs sont des hommes pleins de noblesse. Mais certains ducs et comtes donnent de bien mauvais conseils à leur seigneur.

– Ils ne sont pas ainsi, sauf un seul, le comte Roland. C'est 15 lui qui pousse son oncle à combattre sans trêve. Mais son orgueil pourrait bien le perdre un jour. Il s'expose sans arrêt à la mort. Si quelqu'un le tuait, nous aurions une paix totale.

– Ce Roland est un homme bien dangereux. Il veut conquérir 20 le monde et réduire tous les peuples à sa merci. Et sur qui peut-il compter pour accomplir tous ses exploits ?

---

1. Ces provinces du sud de l'Italie, tout comme l'Angleterre, n'ont pas été réellement conquises par Charlemagne.

Les chansons de geste se font l'écho d'une légende.

– Sur tous les Francs. Ils l'aiment et ne lui feront pas défaut. Il les comble de cadeaux : or et argent, mulets et destriers, étoffes de soie et équipements. L'empereur aussi a sa part de butin. Pour
25 lui, Roland étendra ses conquêtes jusqu'en Orient. »

Ganelon et Blancandrin ont longuement chevauché ensemble. Ils se sont promis de chercher à faire tuer Roland. Après une longue route, ils sont arrivés à Saragosse, où ils mettent pied à terre. À l'ombre d'un pin, ils trouvent Marsile assis sur son trône
30 recouvert d'une étoffe de soie d'Alexandrie. Là se tient le roi qui gouverne toute l'Espagne. À ses côtés, vingt mille Sarrasins. Pas un ne souffle un mot : ils sont avides d'entendre les nouvelles.

Blancandrin s'avance devant Marsile, tenant Ganelon par la main.

35 « Soyez salué au nom de Mahomet et d'Apollin, dont nous observons les saintes lois ! Nous avons présenté votre message à Charlemagne. Il vous envoie un de ses nobles barons. Il vient de France et c'est lui qui vous dira si vous aurez ou non la paix.

– Qu'il parle, répond Marsile, et nous l'écouterons ! »
40 Mais le comte Ganelon a bien réfléchi, et il s'exprime avec une grande habileté. Il pèse ses paroles :

« Salut, au nom du Dieu glorieux que nous adorons ! Voici le message de Charlemagne : vous devez vous convertir à la foi chrétienne et devenir le vassal du roi pour la moitié de
45 l'Espagne. Mais si vous refusez cet accord, vous serez pris, enchaîné de force et ramené prisonnier dans sa capitale d'Aix-la-Chapelle. Là, vous serez condamné par jugement et vous mourrez dans la honte et l'infamie. »

Le roi Marsile a changé de couleur. Sa main s'empare de son
50 javelot. Ganelon, voyant ce geste, saisit son épée et la tire de deux doigts hors du fourreau.

« Belle épée, dit-il, je vous ai portée si longtemps à la cour du roi ! Mais si je dois mourir en terre lointaine pour l'empereur de France, je ne serai pas le seul ! »

55 Les païens interviennent :

« Empêchons qu'ils en viennent aux mains ! »

Ils insistent si bien que Marsile s'est rassis sur son trône. Son oncle le calife[2] lui dit :

– Vous avez mal servi nos intérêts en voulant frapper ce
60 Franc. Vous auriez dû l'écouter et prêter attention à ses paroles.

– Seigneur, fait Ganelon, il faut bien que je supporte cela. Je ne renoncerai pas, pour tout l'or du monde, à porter le message de Charlemagne, le puissant roi, à son ennemi
65 mortel. »

Il se campe là, revêtu de son manteau de soie d'Alexandrie fourré de zibeline[3]. Son poing droit est resté posé sur le pommeau[4] d'or de son épée. Les païens se disent : « Voici un noble baron ! »

70 Ganelon s'approche du roi.

« Vous auriez tort de vous fâcher. Voilà ce qu'ordonne Charlemagne, qui règne sur la France : vous devez vous convertir à la religion chrétienne, et il vous donnera en fief[5] la moitié de l'Espagne. L'autre ira à son neveu Roland : vous aurez là
75 un bien orgueilleux partenaire ! Mais si vous refusez cet accord, il viendra vous assiéger dans Saragosse. Vous serez pris, et traîné enchaîné jusqu'à Aix, où l'on vous coupera la tête. Voilà le message de Charlemagne. »

---

2. Le titre de calife, dans *La Chanson de Roland*, semble être donné à un gouverneur de province, oncle de Marsile. En réalité, dans la civilisation musulmane, le calife est un personnage beaucoup plus important : c'est le successeur de Mahomet, qui commande à l'ensemble des croyants.
3. Petit mammifère dont la fourrure est très précieuse.

4. Le pommeau est la poignée de l'épée.
5. Le fief est la terre qu'un suzerain confie à un vassal, en échange de son serment de fidélité. Pour Marsile, tenir l'Espagne de Charlemagne comme un fief implique qu'il se reconnaît comme vassal de l'empereur, et non souverain indépendant.

De la main droite, il lui a tendu la lettre de l'empereur. Marsile
80 est devenu blanc de colère. Il brise le sceau[6], et lit la lettre.

« Charlemagne me rappelle sa grande colère et sa douleur
quand je fis tuer Basan et Basile. Si je veux sauver ma propre
vie, je dois lui envoyer en otage mon oncle le calife. Voilà son
exigence. »

85 Le fils de Marsile intervient :

« Ganelon a parlé comme un fou. Il a été trop loin et ne
mérite plus de vivre. Livrez-le-moi, je m'en charge ! »

Ganelon l'entend, il brandit son épée et va s'adosser au tronc
d'un pin. Mais Blancandrin s'est approché du roi. Il le persuade
90 de prendre Ganelon à part, dans le verger. Il emmènera avec
lui Jurfaret, son fils et son héritier, ainsi que le calife, son oncle
et son fidèle.

« Faites venir le seigneur franc. Il m'a donné sa parole qu'il
défendrait nos intérêts. »

95 Blancandrin a pris Ganelon par la main droite et l'a emmené
dans le verger jusqu'au roi. C'est là qu'ils combinent l'infâme
trahison.

« Cher seigneur Ganelon, dit Marsile, j'ai été un peu trop
vif avec vous quand j'ai voulu vous frapper, tellement grande
100 était ma colère. Prenez donc en dédommagement ces belles
fourrures de zibeline, elles valent bien cinq cents livres !

— Je ne refuse pas. Que Dieu vous le rende !

— Soyez bien convaincu, Ganelon, que je tiens à être votre
ami. Mais parlez-moi de Charlemagne. Il est fort vieux, il a
105 fait son temps : il doit bien avoir deux cents ans passés ! Il a
pris tant de coups sur son bouclier, anéanti tant de rois puissants ! N'est-il pas fatigué de faire la guerre ?

---

6. Au Moyen Âge, on ferme une lettre
avec de la cire chaude, sur laquelle
on pose l'empreinte de son sceau, avec
son emblème (armoiries). Pour l'ouvrir,
on est obligé de briser ce sceau de cire
gravé aux armes de l'expéditeur.

La trahison de Ganelon : Ganelon et Blancandrin.
Dessin à la plume illustrant un Roland germanique : le *Ruolandesliet* du XIIᵉ siècle.
Universitätsbibliothek, Heidelberg.

– Charlemagne n'est pas ainsi. Aucun homme n'a plus d'honneur et de vaillance que lui. Il aimerait mieux mourir
10 que faire défaut à ses barons.

– Quand s'arrêtera-t-il de guerroyer ?

– Jamais, tant que vivra son neveu, son meilleur vassal. Et son compagnon Olivier n'est pas moins preux[7]. Les douze pairs, que Charlemagne aime tant, forment son avant-garde
15 avec vingt mille hommes : avec eux, l'empereur n'a rien à redouter.

– Cher seigneur Ganelon, dit le roi Marsile, voyez comme mon armée est belle : j'ai là quatre cent mille chevaliers. N'ai-je pas de quoi combattre Charlemagne et ses Francs ?
20 – Gardez-vous-en bien, ce serait folie ! Vous feriez massacrer vos païens. Choisissez la sagesse : comblez l'empereur de

7. Un chevalier preux est vaillant, courageux. Il fait des prouesses (actions d'éclat).

cadeaux, et tous seront émerveillés. Envoyez-lui vingt otages, et le roi s'en retournera en France. Il laissera derrière lui son arrière-garde, avec, je pense, son neveu le comte Roland, et
125 Olivier, le vaillant. Les comtes sont morts, si vous voulez me croire. Charlemagne verra son orgueil abattu, et il n'aura plus jamais envie de vous faire la guerre.

– Et comment pourrai-je faire tuer Roland ?

– Je vais vous le dire. Le roi passera les montagnes aux
130 meilleurs cols, à Roncevaux. Derrière lui, il aura laissé l'arrière-garde, avec ses hommes les plus valeureux : le puissant comte Roland et Olivier, qui a toute sa confiance. Vingt mille Francs les accompagneront. Envoyez-leur cent mille de vos païens, qui leur livreront une première bataille. L'armée des
135 Francs sera meurtrie, blessée, mais vous perdrez beaucoup de vos païens, je ne vous le cache pas. Livrez-leur ensuite une seconde bataille, et vous pouvez être sûr que Roland mourra, dans l'une ou dans l'autre. Vous aurez accompli une belle prouesse et vous n'aurez plus jamais la guerre.

140 « Celui qui tuerait Roland priverait Charlemagne de son bras droit. C'en serait fini de ses armées prodigieuses, et la terre d'Espagne connaîtrait enfin la paix. »

Marsile embrasse Ganelon et envoie chercher ses trésors. Mais il veut être sûr de pouvoir faire confiance au comte.

145 « Jurez-moi que vous allez trahir Roland !

– Qu'il en soit comme vous voulez ! »

Sur les reliques de son épée Murglis[8], il a juré de trahir. Quel forfait abominable !

[…] Il monte à cheval et prend le chemin du retour.

---

8. Les épées des chevaliers ont la forme d'une croix et contiennent souvent, enfermées dans leur pommeau (poignée), des reliques des saints (fragments d'os ou de vêtement), très vénérées à cette époque. On pense que ces reliques protègent celui qui les porte. Un serment prêté sur les reliques est très solennel, celui qui le rompt est coupable de parjure et mérite le déshonneur.

Questions

Repérer et analyser

La progression du récit

1 Aux côtés de quel personnage Ganelon chevauche-t-il ? Quelle promesse les deux hommes se font-ils ?

2 Dans quelle ville Ganelon est-il arrivé ? Quel message porte-t-il à Marsile ? Quelle menace contient-il ?

3 Comment Marsile réagit-il ?

4 Comment l'entrevue se conclut-elle ?

La trahison

5 Rappelez pourquoi Ganelon veut se venger de Roland.

6 Comment Ganelon en vient-il à prononcer le nom de Roland lorsqu'il discute avec Blancandrin (l. 1-21) ?

7 Quel argument Ganelon utilise-t-il pour convaincre Blancandrin, puis Marsile de tuer Roland (l. 17-18 et l. 140-142) ? Quel est le temps majoritairement utilisé ?

8 Quelle révélation essentielle Ganelon fait-il à Marsile sur la stratégie militaire de Charlemagne (l. 129-139) ? Quel est le temps utilisé dans ce passage ?

Le motif de l'épée

9 **a.** Pourquoi Ganelon saisit-il son épée (l. 50) ?

b. Quel est le nom de cette épée ? Relevez un passage dans lequel Ganelon s'adresse à son épée comme à une personne.

c. En quoi les paroles qu'il lui adresse constituent-elles une menace pour Marsile ? Ganelon est-il un bon messager et sert-il bien son empereur ?

L'écriture épique

10 L'exagération

Les exagérations sur les chiffres (âge, nombre de guerriers, richesse, etc.) sont très courantes dans les textes épiques qui racontent des exploits extra-ordinaires, hors du commun.

Combien y a-t-il de Sarrasins autour du roi Marsile ? Combien y a-t-il de chevaliers dans son armée ?

11 Quel est l'âge supposé de Charlemagne ?

Le narrateur

12 Relevez le commentaire du narrateur à la fin de l'extrait. Quel type de phrases utilise-t-il ? Pourquoi juge-t-il la trahison particulièrement odieuse ?

Étudier la langue

Grammaire : la valeur des temps

13 « Celui qui **tuerait** Roland **priverait** Charlemagne de son bras droit. C'en **serait** fini de ses armées prodigieuses, et la terre d'Espagne **connaîtrait** enfin la paix. »

a. Indiquez l'infinitif des verbes en gras et identifiez leur temps.

b. Quelle est la valeur de ce temps ?

Écrire

Récrire un texte

14 Récrivez le passage des l. 26-30 (« Ganelon et Blancandrin [...] d'Alexandrie. ») en mettant les verbes à l'indicatif passé simple.

Lire

Lire un dialogue

15 Mettez-vous à deux et lisez le dialogue entre Ganelon et Marsile (l. 103-142).

Extrait 4

« Le comte Roland s'est entendu désigner »

4
L'arrière-garde

Ganelon a fait ses adieux à Marsile, qui l'a couvert de cadeaux et lui demande de faire placer Roland à l'arrière-garde de l'armée des Francs, lorsque l'armée de Charlemagne s'en retournera en France. Il livrera à Roland un combat à mort dans un col ou un défilé.

L'empereur a mis son campement devant la cité de Galne, que son neveu Roland a conquise pour lui. Il attend des nouvelles de Ganelon, et le tribut[1] que doit lui envoyer le royaume d'Espagne.

5 Au matin, au point du jour, le comte Ganelon est arrivé au camp. Le roi, qui vient d'écouter la messe, se tient debout devant sa tente. Il a avec lui Roland, le valeureux[2] Olivier, ainsi que le duc Naimes et beaucoup d'autres encore. Ganelon, le traître, le parjure[3], s'approche de lui. Il lui parle avec beau-
10 coup d'astuce :

« Que Dieu vous protège ! Voici les clefs de Saragosse. Je vous remets un grand trésor et vingt otages : faites-les bien garder. Le noble roi Marsile vous demande de ne pas le blâmer à cause du calife qui n'est pas là. En effet, j'ai vu de mes yeux quatre
15 cent mille hommes, équipés de toutes leurs armes, qui se diri-

---

1. Somme d'argent (ou biens divers) que doit remettre celui qui est vaincu ou qui a fait sa soumission (comme Marsile).
2. Courageux.

3. Est parjure celui qui viole un serment qu'il a juré : ici, le serment de fidélité qui lie le vassal Ganelon à son suzerain Charlemagne.

geaient vers la mer. Ils fuyaient Marsile, car ils ne voulaient pas recevoir la foi chrétienne. Avant qu'ils aient navigué quatre lieues[4], une tempête les a assaillis et ils se sont noyés. Si le calife avait pu sauver sa vie, je vous l'aurais amené. Pour ce qui est 20 du roi païen Marsile, soyez certain, seigneur, qu'il vous suivra d'ici un mois dans le royaume de France. Il se convertira à votre foi et deviendra votre homme, les mains jointes[5].

– Que Dieu en soit remercié, fait le roi. Vous avez bien accompli votre mission, et vous serez récompensé. »

25 À travers toute l'armée, on fait sonner mille clairons. Les Francs lèvent le camp et font charger les bêtes de somme. Ils se préparent à regagner la douce France.

Charlemagne a soumis l'Espagne, il s'est emparé de ses châteaux et de ses cités. Il annonce que la guerre est maintenant 30 finie. Le voilà qui chevauche vers la France. Le comte Roland a fixé son gonfanon[6] à sa lance, qu'il brandit bien haut.

Mais pendant ce temps les païens, magnifiquement équipés, chevauchent à travers les vallées. Ils sont quatre cent mille à faire halte dans une forêt au sommet des montagnes, et là, ils 35 attendent le lever du jour. Dieu ! Quel malheur que les Francs l'ignorent !

La nuit est tombée. Charlemagne dort, le puissant empereur. Il rêve qu'il se trouve aux grands défilés de Roncevaux[7], et qu'entre ses mains il tient sa lance de frêne[8]. Mais le comte

---

4. Unité de distance, la lieue vaut à peu près quatre kilomètres.
5. Le vassal prête serment de fidélité lors de la cérémonie de l'hommage. Il place ses mains jointes dans celles de son suzerain et devient alors son homme. C'est ce geste, signifiant que l'on reconnaît quelqu'un pour son seigneur, qui a été adopté au Moyen Âge pour la prière des chrétiens.
6. Le gonfanon, ou gonfalon, est la pièce de tissu où sont représentées les armoiries d'un seigneur ou d'un roi. Fixée au bout d'une lance, elle permet de le reconnaître dans un combat. Le gonfalonier a l'honneur de porter les couleurs du roi.
7. Pour aller d'Espagne en France, il faut franchir les Pyrénées. On passe par l'endroit le moins élevé de la chaîne de montagne : le col. Le col est précédé par des défilés étroits. Roncevaux est le nom donné au col et aux défilés.
8. Bois clair et dur provenant du frêne (arbre).

40 Ganelon la lui arrache et la brandit si violemment qu'elle vole en éclats. Mais Charlemagne dort et ne se réveille pas[9].

Après cette vision, il en a une autre. Il est en France, à Aix, dans sa chapelle. Soudain un verrat[10] féroce le mord au bras droit, tandis que de l'Ardenne il voit venir un léopard qui 45 s'attaque à lui farouchement. Mais du fond de la salle bondit un chien de chasse qui accourt défendre Charlemagne. Il tranche l'oreille du verrat et se jette avec fureur sur le léopard. « C'est une grande bataille, disent les Francs, mais qui la gagnera ? » Mais Charlemagne dort et ne se réveille pas[11].

50 La nuit laisse la place à l'aube claire. L'empereur chevauche fièrement parmi les rangs de son armée.

« Seigneurs barons, voici les cols et les défilés étroits. Désignez-moi celui qui sera à l'arrière-garde. »

Ganelon prend la parole :

55 « Ce sera Roland, mon beau-fils. Parmi tous vos barons, c'est le plus valeureux. »

Le roi lui jette un regard farouche :

« Vous êtes le diable en personne ! Quelle rage vous a saisi ! Et qui sera devant moi à l'avant-garde ?

60 – Ogier de Danemark. Aucun baron ne le fera mieux que lui. »

Le comte Roland s'est entendu désigner. Il répond avec ironie :

« Seigneur parâtre, comme je vous suis reconnaissant ! Vous m'avez désigné pour l'arrière-garde. Charlemagne peut me faire confiance : il n'y perdra palefroi[12], ni destrier, ni mulet, 65 sans que je les défende à la pointe de l'épée.

---

9. Il s'agit d'un songe prémonitoire, qui annonce l'avenir. On peut penser que la lance brisée par Ganelon représente Roland : c'est lui qui est la force guerrière de Charlemagne.
10. Un verrat est un porc mâle. Mais il faut sans doute l'identifier ici au sanglier, car au Moyen Âge, on nomme souvent porc, et donc verrat, l'animal sauvage.

11. Le deuxième songe montre Charlemagne attaqué par un verrat et un léopard, peut-être Ganelon et Pinabel. Le chien de chasse qui vient à son secours serait donc Thierry (chapitre 10).
12. Le palefroi est un cheval de voyage, ou de promenade, différent du destrier, cheval de combat.

– J'en suis tout à fait certain. »

Le comte Roland laisse alors parler sa colère :

« Ah, misérable canaille, tu as cru que j'hésiterais à accepter cette mission, comme toi, lorsque tu as laissé échapper le gant ? »

Il se tourne alors vers le roi :

« Juste empereur, confiez-moi l'arc que vous tenez au poing[13]. Nul ne pourra me reprocher de le laisser tomber de mes mains, comme Ganelon le fit de votre gant. »

L'empereur garde la tête baissée. Il lisse sa barbe et tord sa moustache. Il ne peut empêcher ses larmes de couler.

Le duc Naimes s'avance vers le roi.

« Seigneur, vous l'avez entendu. Le comte Roland est furieux. L'arrière-garde lui est attribuée, personne ne peut rien y changer. Confiez-lui l'arc qu'il demande et trouvez ceux qui l'assisteront. »

Le roi a donné l'arc, et Roland l'a reçu.

« Cher neveu, je vais vous confier la moitié de mes troupes. Ces soldats seront votre salut.

– Non ! Je n'en ferai rien, il y va de l'honneur de mon lignage. Je garderai avec moi vingt mille Francs des plus vaillants. Passez les cols en toute sécurité. Vous auriez tort de craindre qui que ce soit, moi vivant. »

Le comte Roland est monté sur son destrier. Son compagnon Olivier se range à ses côtés, puis s'avancent Gérin et le vaillant Gérier, ainsi que Bérenger et Othon, Astor et le vieil Anseïs, et le farouche Girart de Roussillon.

L'archevêque Turpin prend la parole :

« Sur ma tête, j'irai aussi !

---

13. Comme plus haut le gant ou le bâton, l'arc est un objet qui symbolise la mission confiée par Charlemagne. Il devient un signe de l'autorité déléguée à Roland pour l'arrière-garde.

95   — Et moi avec vous, dit le comte Gautier de l'Hum. Je suis le vassal de Roland, je ne dois pas lui faire défaut. »

Ils choisissent pour venir avec eux vingt mille chevaliers.

100 Hauts sont les monts, ténébreuses les vallées, sombres les rochers, sinistres les défilés. Ce jour-là, les Francs les franchissent à grand-peine. De quinze lieues, on entend la rumeur de l'armée qui passe. Quand ils parviennent à la Terre des Aïeux[14], ils voient la Gascogne, la terre de leur seigneur. Ils se souviennent alors de leurs fiefs, de leurs domaines, de leurs nobles épouses, et des jeunes filles de leur pays. Il n'en est pas un qui ne pleure d'attendrissement. Mais le cœur de Charlemagne est serré par l'angoisse : aux cols d'Espagne il a laissé son neveu. Il ne peut retenir ses larmes[15], et tente de cacher sa douleur sous son manteau. À son côté chevauche le duc Naimes, qui dit au roi :

« D'où vient votre tourment ?

— Est-ce bien la peine de me le demander ? Ma douleur est telle que je ne peux retenir mes larmes. Cette nuit même, j'ai eu une vision envoyée par un ange : entre mes poings, Ganelon brisait ma lance. Par lui, la France sera détruite : c'est lui qui a désigné mon neveu pour l'arrière-garde. À cause de lui, j'ai abandonné Roland dans un pays étranger. Dieu ! Si je le perds, jamais personne ne pourra le remplacer ! »

---

14. La Terre des Aïeux est la terre de leurs ancêtres, de leurs pères : la patrie. La Gascogne est la première province française que l'on trouve quand on passe les Pyrénées au col de Roncevaux.

15. À cette époque, la manifestation d'émotions violentes (pleurer, s'évanouir) est jugée tout à fait normale, même chez les hommes.

Questions

Repérer et analyser

La progression du récit

Le retour de Ganelon

1 Dans quelle ville Charlemagne se trouve-t-il (début de l'extrait) ?

2 Quel message Ganelon lui apporte-t-il de la part de Marsile ?

3 Quelle décision Charlemagne prend-il après avoir écouté ce message ?

4 Qui est désigné pour être placé à l'arrière-garde de l'armée ? Par qui ?

Le départ de Charlemagne et la mise en place de la trahison

5 **a.** Combien de Francs accompagneront Roland ?

b. Combien d'hommes les Sarrasins ont-ils réunis ? Dans quel lieu se trouvent-ils ? À quel moment de la journée ? Qu'attendent-ils ?

6 Les Francs savent-ils que Ganelon a trahi ? Relevez un commentaire du narrateur à partir de la l. 32.

Le voyage et l'arrivée en France

7 Caractérisez le paysage traversé par Charlemagne et son armée.

8 Dans quelle région de France les Francs arrivent-ils ? Quels sentiments éprouvent-ils ?

Roland et Ganelon

9 Par quels termes le narrateur caractérise-t-il Ganelon (l. 1-10) ?

10 **a.** Ganelon désigne Roland pour être à l'arrière-garde. Comment justifie-t-il son choix auprès de Charlemagne ? Quelle en est la vraie raison ?

b. Montrez que le conflit entre les deux hommes repose chaque fois sur une désignation.

c. Comment Roland réagit-il ?

Politique et religion

11 a. Dans quels passages Charlemagne apparaît-il comme un empereur chrétien ?

b. Relevez dans les paroles de Ganelon (l. 11-12) une phrase qui montre qu'en devenant chrétien, Marsile devient le vassal de Charlemagne.

Le songe de Charlemagne

> Les chansons de geste, comme les épopées antiques, comportent souvent des songes prémonitoires.

12 Quels songes Charlemagne fait-il ? En quoi sont-ils inquiétants ? Comment peut-on les interpréter ? Aidez-vous des notes.

13 a. À quel moment Charlemagne se souvient-il de ce songe ? Quels sentiments éprouve-t-il ? Relevez un champ lexical.

b. Quelle opinion a-t-il de Roland ?

Étudier la langue

La fonction attribut du sujet

14 « Hauts sont les monts, ténébreuses les vallées, sombres les rochers, sinistres les défilés. »

a. Relevez les mots qui ont la fonction d'attribut. Indiquez leur classe grammaticale.

b. Quelle remarque faites-vous sur leur place ?

c. Quel est le verbe attributif ? Rétablissez-le quand il n'est pas exprimé.

Écrire

Un horrible cauchemar

15 Une nuit, vous avez fait un cauchemar. Racontez et dites dans quel état vous vous êtes réveillé(e).

Extrait 5

« Le comte Roland sonne son olifant »

Résumé du chapitre 5 : *Marsile, accompagné de quatre cent mille hommes, a atteint Roncevaux. Douze païens se présentent à lui pour former sa garde rapprochée, ses douze pairs. Il y a parmi eux Aelroth, son neveu, Falsaron, frère de Marsile, le roi Corsablis, un Berbère… Tous se disputent l'honneur de tuer Roland. Ils emmènent avec eux cent mille Sarrasins qui brûlent de combattre. Tous s'équipent, revêtent leurs hauberts, lacent leurs heaumes, enfourchent leurs destriers.*

Pendant ce temps, du côté des Francs, Olivier a vu venir la grande armée des païens. Il prévient Roland et lui demande de sonner du cor pour appeler Charlemagne. Roland refuse, il y va de son honneur de se défendre seul…

6
Roncevaux

Le neveu de Marsile, Aelroth, chevauche en tête de l'armée des païens ; il lance aux Francs des insultes :

« Maudits Francs félons, vous allez devoir vous battre avec nous. Il est fou le roi qui vous a laissés aux cols. Aujourd'hui
5 la douce France perdra sa gloire et Charlemagne son bras droit ! »

Roland l'entend. Quelle douleur pour lui ! Il éperonne son cheval, le laisse courir à bride abattue, et va frapper l'autre de toutes ses forces. Il brise son écu et déchire son haubert, il
10 lui ouvre la poitrine et lui fracasse les os. De sa lance, il lui arrache l'âme du corps et l'abat mort au pied de son cheval.

« Voilà pour toi, coquin ! Charlemagne n'est pas fou, il a
eu raison de nous laisser aux cols. Ce n'est pas aujourd'hui
que la France perdra son renom. Frappez, Francs, le premier
15 coup est pour nous ! Nous avons pour nous le droit et ces
canailles ont tort ! »

Il y a là un duc, nommé Falsaron. C'est le frère du roi Marsile,
il n'y a pas de traître plus endurci que lui. Voyant son neveu
mort, il défie les Francs :

20 « Aujourd'hui, la douce France perdra son honneur ! »

Olivier devient furieux à l'entendre. Il pique son cheval de
ses éperons dorés et court le frapper en vrai baron. Il brise son
écu et fend son haubert. Dans le corps il lui enfonce sa lance
jusqu'au gonfanon. Il le regarde à terre et l'apostrophe :

25 « Je me moque de tes menaces, misérable païen ! Frappez,
Francs, et nous les vaincrons ! »

Il crie : « Montjoie[1] ! », c'est le cri de guerre de Charlemagne.

Il y a là un roi nommé Corsablis, c'est un Berbère[2] venu de
son lointain pays. Il a appelé à lui les autres Sarrasins :

30 « Cette bataille, nous allons la gagner, car les Francs sont
en petit nombre. Pas un seul n'en réchappera, en dépit de
Charlemagne. Le jour de leur mort est arrivé. »

L'archevêque Turpin l'a entendu, il est allé vigoureusement
le frapper. Il lui met son grand épieu en travers du corps et
35 l'abat mort sur le chemin.

« Maudit païen, dit-il, vous avez menti ! Charlemagne ne
nous a pas abandonnés, et ces Francs n'ont aucune envie de
fuir. Frappez, Francs, qu'aucun de vous ne faiblisse ! »

---

1. Montjoie est à la fois le cri de
ralliement de Charlemagne et le nom
de sa bannière royale. Le nom pourrait
venir du latin *Meum gaudium*,
« ma joie », et se référer au nom
de l'épée de Charlemagne, Joyeuse.

2. Les Berbères sont les peuples
d'origine de l'Afrique du Nord ; ils ont
été islamisés par les Arabes lors de la
conquête du Maghreb (VIIe siècle).

Gérin fond sur l'émir de Moriane : il lui enfonce dans le corps
40   sa lance, son robuste écu ne lui sert à rien. Le païen tombe à
terre comme une masse, et Satan[3] emporte son âme.

Son compagnon Gérier s'en prend à l'émir de Balaguer : il
brise son écu et démaille son haubert. Dans le cœur il lui plonge
son fer, qui lui passe à travers le corps.

45   Le duc Samson assaille Malprimis de Brigal. Il brise son heaume,
orné d'or et de pierreries. Il lui perce le cœur, le foie et le poumon.
L'archevêque s'exclame : « C'est le coup d'un baron ! »

Le vieil Anseïs lâche la bride à son cheval et se rue sur Turgis
de Tortelose. De la longueur de sa lance, il l'a renversé, mort.
50   Angelier, le Gascon de Bordeaux, est allé frapper Escremis de
Valterne. De sa lance, il disloque son heaume et l'abat mort
de sa selle. Othon a attaqué Estorgant, et Bérenger, Estramarit.
Les deux païens roulent, sans vie, dans la poussière. Des douze
pairs musulmans, il ne reste plus que deux en vie : Chernuble
55   et le comte Margarit.

La bataille est prodigieuse et devient générale. Le comte Roland
ne se ménage pas. Il combat avec sa lance tant que la hampe[4]
reste entière, mais après quinze coups, la voilà détruite. Il tire
alors Durendal, sa bonne épée, et va frapper Chernuble. Il brise
60   son heaume où brillent les pierreries, il lui fend la tête avec la
chevelure, et tout le corps jusqu'à l'enfourchure. À travers la
selle ouvragée d'or, l'épée atteint le corps du cheval et lui transperce l'échine. Il l'abat raide mort sur l'herbe drue.

« Misérable, lui dit-il, vous avez eu tort de venir ici. De
65   Mahomet vous n'aurez jamais l'aide. »

Roland chevauche sur le champ de bataille. Il tient Durendal qui
tranche et taille bien. Il fait un terrible carnage de Sarrasins. Son

---

3. Satan est le nom donné au Diable, | 4. Manche en bois de la lance.
l'esprit du Mal, dans la tradition
judéo-chrétienne.

haubert et ses bras sont rouges du sang répandu. Olivier n'est pas
de reste pour frapper. De sa lance, il ne lui reste qu'un tronçon.

70   « Compagnon, lui dit Roland, que faites-vous ? Un bâton
ne sert pas à grand-chose dans une telle bataille ! C'est de fer
et d'acier que nous avons besoin. Où est donc votre épée, au
nom fameux de Hauteclaire ?

– Je n'ai pas pu la tirer, car j'étais trop occupé à frapper. »

75   Olivier a tiré son épée, il l'a brandie en vrai chevalier. Il
s'élance à l'assaut de Margarit de Séville, un baron courageux,
beau et robuste, rapide et souple. Il brise son heaume couvert
d'or et de pierreries, et sa cervelle se répand jusqu'à ses pieds.
Il l'abat raide mort, à côté d'une multitude des siens. Roland

80   s'écrie :

    « Je vous reconnais bien là, mon frère ! C'est pour de tels
coups que l'empereur nous aime. »

    De toutes parts retentit le cri : « Montjoie ! »

    […]

Mort du chevalier Roland à la bataille de Roncevaux. *Chroniques des Empereurs*,
enluminure de Loyset Liédet (1420-1479). Paris, Bibliothèque de l'Arsenal.

85   La bataille est prodigieuse et pénible. Olivier et Roland se battent du mieux qu'ils peuvent. L'archevêque y porte plus de mille coups, et les douze pairs ne perdent pas leur temps. Les païens meurent par centaines et milliers. Les Francs frappent sans faiblir, mais ils perdent leurs meilleurs défenseurs. Ils ne
90 reverront pas leurs pères ni leurs parents, ni Charlemagne qui aux cols les attend.

    Pendant ce temps, en France, se déchaîne une tourmente qui tient du prodige : des ouragans de tonnerre et de vent, de pluie et de grêle. La foudre tombe à coups redoublés, faisant trembler
95 la terre. De Saint-Michel-du-Péril jusqu'à Sens, de Besançon jusqu'au port de Wissant, les murs se fendent. En plein midi s'étendent de noires ténèbres. Tous, frappés d'épouvante, s'écrient : « C'est la fin du monde ! » Ils ne savent pas qu'ils disent vrai : c'est un deuil universel pour la mort de Roland[5].

100   Les païens sont morts en masse. Sur cent mille, c'est à peine s'il reste deux survivants. Les Francs ont combattu avec cœur et avec vigueur, et l'archevêque est fier d'eux :

    « Nos hommes sont des braves. N'est-il pas écrit dans l'Histoire des Francs, qu'on ne saurait en trouver de meilleurs ? Ils
105 ont bien servi Charlemagne, le vaillant empereur. »

    Ils vont par le champ de bataille pour rechercher les leurs, et versent des larmes de douleur et de tendresse.

    Mais voici que Marsile s'avance vers eux avec une nouvelle armée, prête à combattre. Il vient le long d'une vallée avec vingt
110 bataillons. Leurs heaumes brillent dans le soleil et sept mille clairons sonnent la charge. Roland se tourne vers Olivier :

    « Mon compagnon, mon frère, une bataille âpre et dure se prépare. Le félon Ganelon a juré notre mort, sa trahison ne fait pas de doute. Jamais personne ne vit un tel affrontement.
115 Je frapperai de Durendal, mon épée, et vous, compagnon, de

---

| **5.** Les signes décrits sont ceux de la fin du monde, dans la Bible.

Hauteclaire. Nous les avons portées dans tant de pays ! Jamais
sur elles on ne chantera une mauvaise chanson. »

Quand Marsile voit le massacre de ses gens, il fait sonner
des cors et des trompettes, puis il parcourt les rangs de son
20 armée. Au premier rang chevauche un Sarrasin, Abîme, le plus
félon de toute la troupe. Il est chargé de vices et de crimes.
Aussi noir que la poix[6] fondue, il aime mieux la trahison et le
meurtre que tout l'or de l'Espagne. Jamais nul ne le vit jouer
ni rire. C'est pour toutes ces raisons qu'il est cher au cœur de
25 Marsile.

L'archevêque, dès qu'il le voit, brûle de le combattre. Il
s'élance sur son destrier ardent, rapide, dont la crinière flotte
au vent. Rien ne l'empêche de frapper Abîme. Il va heurter,
sans aucun ménagement, l'écu de l'émir, couvert de pierreries :
30 améthystes, topazes et diamants sautent. Le bouclier ne vaut
plus un denier[7]. Il transperce le corps du Sarrasin de part en
part et l'abat raide mort sur le terrain. Les Francs s'écrient :

« Quelle vaillance ! L'archevêque a bien défendu l'honneur
de la crosse[8] ! »

35 Les Francs voient qu'il y a une multitude de païens : le champ
de bataille en est couvert de toutes parts. Ils combattent vaillamment et appellent souvent Olivier ou Roland à la rescousse.
L'archevêque les encourage :

« Seigneurs barons, gardez un ferme courage ! Ne pensez
40 pas à fuir, il vaut bien mieux mourir en combattant. Notre fin
est proche, et nous ne verrons pas le prochain jour. Mais je
puis vous assurer d'une chose : le paradis est grand ouvert
pour vous ! »

---

6. Mélange mou et collant à base de
résine et de goudron, la poix était
utilisée au Moyen Âge lors du siège d'un
château : on la jetait sur les assaillants.

7. Le denier est une monnaie de très
faible valeur.
8. Long bâton recourbé en volute
à son extrémité supérieure, la crosse
est l'insigne du pouvoir des évêques.

Ces mots réconfortent les Francs, qui crient : « Montjoie ! »

145   La bataille est rude. Un païen, Climborin, celui qui avait reçu le serment de Ganelon, s'est élancé sur son cheval. Il vient frapper Angelier le Gascon, que ne peuvent protéger son écu et son haubert. Il lui plante sa lance dans le corps et le renverse mort sur le sol. Les Francs s'écrient :

150   « Quel malheur de perdre un homme d'une telle valeur ! »

Valdabrun, le parrain du roi Marsile, monte sur son cheval et vient contre le duc Samson. Il lui fait vider les arçons[9] et l'abat à terre. Voici qu'arrive un autre païen, Grandoine, qui va frapper Gérin de toute sa force, il l'abat mort sur une haute

155   roche. Il tue encore son compagnon Gérier, et Gui de Saint-Antoine. Les païens se réjouissent. Les Francs s'exclament :

« Quelle hécatombe parmi les nôtres ! »

La bataille est prodigieuse et acharnée. Les Francs se battent avec violence et fureur. Ils tranchent les poings, les flancs, les

160   échines, les vêtements jusqu'aux chairs vives. Sur l'herbe verte, le sang coule à flots. Tant d'hommes gisent l'un sur l'autre, sur le dos ou face contre terre ! Quelle détresse parmi les chrétiens !

Aux quatre premiers assauts, les Francs l'ont emporté, mais

165   le cinquième est rude et pénible pour eux. Ils sont tous tués, sauf soixante d'entre eux, que Dieu a épargnés. Avant de mourir, ils vendront cher leur vie.

Le comte Roland voit le carnage des siens. Il appelle Olivier, son compagnon :

170   « Cher seigneur, voyez tous ces bons chevaliers étendus à terre. Nous pouvons plaindre la douce France, la belle ! Ah, roi bien-aimé, que n'êtes-vous ici ? Olivier, frère, comment

---

9. On nomme arçons les rebords qui, à l'avant et à l'arrière de la selle, maintiennent en place le cavalier. Quand on vide les arçons, on est désarçonné, et l'on tombe du cheval.

pourrons-nous faire ? Comment lui envoyer de nos
nouvelles ?

75   – Je ne sais comment l'appeler, répond Olivier. Et j'aime
mieux mourir qu'endurer la honte d'appeler au secours !

   – Je sonnerai l'olifant[10], et Charlemagne l'entendra. Je vous
le jure, les Francs reviendront.

   – Le déshonneur sera pour nous, et la honte sur nos lignages,
80 rétorque Olivier. Quand je vous l'ai demandé, vous n'avez pas
voulu le faire. Le roi présent, nous n'aurions pas eu ces pertes.
Ceux qui sont là ne méritent aucun blâme.

   – Notre bataille a été rude, mes deux bras sont tout sanglants
d'avoir porté tant de coups. Mais je sonnerai du cor, et
85 Charlemagne repassera les défilés.

   – Par ma barbe, dit Olivier, si je peux revoir ma sœur Aude,
jamais vous ne coucherez entre ses bras[11] !

   – Pourquoi cette colère contre moi ?

   – Vous l'avez mérité, compagnon. C'est votre faute : vous
90 avez confondu vaillance et folie. La mesure vaut mieux que
la témérité. Les Francs sont morts à cause de votre inconscience.
Jamais plus nous ne servirons Charlemagne. Votre vaillance,
Roland, nous a été fatale ! Aujourd'hui prend fin notre loyale
amitié, avant ce soir nous serons séparés. »

95   L'archevêque les entend se quereller. Il s'approche d'eux et
les blâme :

   « Seigneur Roland, et vous, Olivier, au nom de Dieu, cessez
votre dispute ! Sonner du cor ne peut nous servir à rien, mais
il faut le faire cependant : le roi viendra avec ses Francs, et il
100 nous vengera. Quand nos compagnons mettront pied à terre,
ils nous trouveront morts et taillés en pièces. Ils nous mettront

---

10. Cor d'ivoire fait d'une défense
d'éléphant.
11. La sœur d'Olivier, Aude, est la fiancée
de Roland. Cette histoire, ainsi que les
débuts de l'amitié entre Olivier et Roland,
est racontée dans la Chanson de Girart
de Vienne.

en bière et pleureront de douleur et de pitié ; puis ils nous enterreront dans des cimetières bénis, où les loups et les chiens ne pourront nous dévorer.

205 — C'est bien parlé, seigneur », dit Roland.

Roland a porté l'olifant à ses lèvres. Il l'embouche bien et sonne de tout son souffle. Hauts sont les monts, et le son porte loin. Sur trente lieues on l'entend résonner. Charlemagne l'entend, avec toute son armée. Le roi s'écrie :

210 « Nos hommes livrent bataille !

— Mais non, dit Ganelon. Si un autre le disait, vous penseriez que c'est un mensonge. »

Le comte Roland sonne son olifant. Les efforts le font haleter. Le son éclate et se prolonge dans le lointain. Le roi, en train 215 de passer les défilés, le perçoit. Le duc Naimes l'entend, et avec lui les Francs.

« Écoutez le cor de Roland, dit le roi. Jamais il ne sonnerait s'il ne livrait bataille.

— Il n'y a pas de bataille, affirme Ganelon. Vous êtes vieux, et 220 votre tête est blanche. De telles paroles vous font ressembler à un enfant. Vous connaissez Roland : à cette heure, il doit bien s'amuser devant ses pairs. Il est capable de sonner du cor toute la journée pour une chasse au lièvre ! De toute façon, vous savez que personne n'oserait s'attaquer à lui. Continuez donc à chevaucher ! Pourquoi 225 vous arrêter ? La Terre des Aïeux est encore loin devant nous. »

Le comte Roland a la bouche en sang. À force de souffler, sa tempe s'est rompue, mais il continue à sonner à grand-peine. Le roi l'entend :

« Ce cor a longue haleine !

230 — Un chevalier y met toutes ses forces, répond Naimes. Il livre combat, j'en suis persuadé. Celui qui vous demande de ne rien faire, c'est lui qui l'a trahi. Armez-vous et lancez votre cri de guerre. Vous l'entendez bien, c'est Roland qui se désespère ! »

L'empereur fait sonner ses cors. Les Francs mettent pied à terre et s'équipent. Ils ont de bons hauberts, des épées et des heaumes ornés d'or, des épieux solides, et des gonfanons blancs et vermeils. Ils sont montés sur leurs destriers et piquent des éperons durant toute la traversée des cols.

C'est l'après-midi d'un jour éclatant. Au soleil flamboient les hauberts et les heaumes dorés. L'empereur chevauche furieusement, les Francs sont pleins de chagrin et de colère. Tous pleurent amèrement, si grande est leur angoisse pour Roland. Le roi a fait saisir le comte Ganelon, et l'a remis aux cuisiniers de sa maison. Il fait venir Begon, son chef :

« Garde-le-moi bien comme le félon qu'il est ! Il a trahi tous les miens. »

Begon le saisit et le remet à ses garçons employés à la cuisine. Ils lui arrachent la barbe et la moustache, le frappent à coups de poing et de bâton, puis l'enchaînent comme un ours. Ils l'ont fait monter sur une bête de somme, pour le couvrir de honte[12]. Ils le garderont ainsi jusqu'à ce que le roi le leur demande.

Hauts sont les monts, profondes les vallées, impétueux les torrents. Les clairons sonnent, derrière et devant, répondant à l'olifant. L'empereur chevauche, bouillant de colère. Sur son haubert est déployée sa barbe blanche[13]. Les Francs le suivent, remplis de fureur et de chagrin. Ils prient Dieu de conserver Roland en vie jusqu'à ce qu'ils arrivent au champ de bataille. Mais à quoi bon ? C'est inutile. Ils sont partis trop tard et ne pourront arriver là-bas à temps.

---

12. Pour un chevalier, c'est le comble de l'humiliation de chevaucher un cheval de charge, et non un destrier ou un palefroi.

13. La barbe déployée sur la cuirasse est une attitude de bravade face à l'ennemi.

Questions

Repérer et analyser

Le combat et ses enjeux

1 Qui sont les adversaires en présence ? Les forces sont-elles égales ?

2 « Nous avons pour nous le droit et ces canailles ont tort ! » (l. 15-16). Pourquoi les chrétiens sont-ils dans leur droit par rapport aux païens ? Pour répondre, dites en quoi le roi Marsile se conduit avec malhonnêteté.

3 a. Au début du combat, qui prend d'abord le dessus ?
b. Montrez qu'ensuite la situation s'inverse.
c. Faites la liste des assaillants et de leurs victimes dans les deux phases du combat.

L'écriture épique

L'exagération épique

4 L'hyperbole

> L'hyperbole est une figue de style qui consiste à exagérer la réalité. Elle est utilisée dans l'épopée pour souligner le caractère extraordinaire des exploits accomplis par les héros.

Relevez deux hyperboles dans les l. 85-88 (« [...] milliers. »). Sur quoi les exagérations portent-elles ?

La peinture de la violence

> Dans les récits médiévaux, les combats sont marqués par une extrême violence.

5 Relevez douze qui verbes expriment la violence dans les l. 39-63.

6 Relisez les l. 7-44. Remettez-dans l'ordre les étapes du combat à la lance :
a. Briser l'écu de l'adversaire. **b.** Abattre son adversaire à bas de son cheval. **c.** Éperonner son cheval. **d.** Passer la lance au travers du corps de son adversaire. **e.** Frapper avec sa lance. **f.** Fendre le haubert de son adversaire.

Les répétitions

7 Quelle expression, évoquant un paysage tragique, est répétée ? À quels moments de l'action ?

L'épée

Dans l'épopée, les épées des héros portent un nom.

8 **a.** Quel est le nom de l'épée de Roland ? Relevez deux expressions qui la caractérisent (l. 56-73).

b. Quel est le nom de celle d'Olivier ?

Le rythme de la narration

9 La juxtaposition, la coordination

Les propositions ou les phrases peuvent être reliées à l'aide de la juxtaposition (virgule, point virgule, point) ou de la coordination (conjonction de coordination).

Relisez les l. 7-11 (« Il éperonne son cheval […] »).

a. Comment les propositions s'enchaînent-elles ? Quel rythme cela donne-t-il au récit ?

b. À quel temps sont les verbes ? Indiquez la valeur de ce temps. Quel est l'effet produit ?

Les personnages

Olivier et Roland

10 **a.** Pour quelle raison Roland se décide-t-il à sonner du cor ?

b. « Quand je vous l'ai demandé, vous n'avez pas voulu le faire. » (l. 180) : pourquoi Olivier refuse-t-il maintenant d'appeler Charlemagne ?

11 **a.** Quels reproches Olivier fait-il à Roland ?

b. Expliquez la phrase : « La mesure vaut mieux que la témérité. » (l. 190-191).

12 Roland a-t-il une pensée pour Aude, sa fiancée ?

Ganelon

13 **a.** Montrez que Ganelon mène sa trahison jusqu'au bout. Quels arguments utilise-t-il pour dissuader Charlemagne de revenir en arrière ?

b. Qu'advient-il de lui ?

Charlemagne et les Francs

14 Quelle est la réaction de Charlemagne et des Francs quand ils comprennent que Roland est en danger ?

La dimension dramatique du passage

> Le merveilleux consiste à faire intervenir dans l'histoire des forces surnaturelles que l'on ne peut expliquer par la raison.

15 Relisez les l. 92-99. En quoi la nature participe-t-elle au drame ? Quel nom renvoie au merveilleux ?

16 Relevez les passages qui décrivent l'état de Roland sonnant du cor. Quelle progression dramatique notez-vous ?

17 Quel effet la dernière phrase produit-elle ?

Apprendre un poème

Et l'Empereur poursuit ; mais son front soucieux
Est plus sombre et plus noir que l'orage des cieux.
Il craint la trahison, et, tandis qu'il y songe,
Le Cor éclate et meurt, renaît et se prolonge.
« Malheur ! c'est mon neveu ! malheur ! car si Roland
« Appelle à son secours, ce doit être en mourant.
« Arrière, chevaliers, repassons la montagne !
« Tremble encor sous nos pieds, sol trompeur de l'Espagne ! »

Alfred de Vigny (1797-1863), « Le cor » (extrait),
Poèmes antiques et modernes.

18 Retrouvez le passage de l'extrait 5 qui correspond à ces vers du poème de Vigny.

19 Comptez le nombre de syllabes par vers. Quel est le mètre utilisé ?

20 **a.** Qui parle à partir du vers 5 ?
b. « repassons », « Tremble » : identifiez le mode et le temps de ces verbes.

21 Apprenez le poème et récitez-le en marquant la différence entre le passage narratif et le discours de Charlemagne.

Extrait 6

« Le comte Roland est couché sous un pin »

7
Derniers combats

Roland parcourt du regard les monts et les collines. Il voit tant de Francs étendus, morts, qu'il ne peut s'empêcher de pleurer.

« Seigneurs barons, que Dieu ait pitié de vous ! Qu'il ouvre son paradis à vos âmes, et vous fasse reposer parmi les saintes
5 fleurs[1] ! Vous m'avez longtemps servi sans trêve, je n'ai jamais eu meilleurs vassaux que vous ; et maintenant je vous vois mourir pour moi, et je ne peux plus vous protéger. Je mourrai de douleur, si rien d'autre ne me tue. »

Il est revenu sur le champ de bataille, il tient Durendal et se
10 bat comme un vrai baron. Comme le cerf fuit devant les chiens, devant lui fuient les païens. Les Francs sont féroces comme des lions, car ils savent qu'il n'y aura pas de prisonniers.

Mais voici que s'avance Marsile, avec son fils et son oncle le calife. Il éperonne son cheval et va frapper Bevon, qui est
15 seigneur de Beaune et de Dijon. Il l'abat à terre, mort. Il a tué Yvoire et Yvon, et avec eux, Girart de Roussillon. Roland n'est pas loin, il s'écrie :

« Que le Seigneur te maudisse ! Tu as eu tort de tuer mes compagnons. De mon épée, tu vas savoir le nom ! »
20 Il lui a tranché, d'un seul coup, le poing droit. Puis il coupe la tête de son fils, Jurfaret le Blond. Épouvantés, les païens s'enfuient.

| **1.** Le paradis est fréquemment représenté comme un jardin fleuri.

Mais à quoi bon ? Si Marsile a fui, son oncle le calife est resté. Il gouverne Carthage et l'Éthiopie, une terre maudite.
25 Il a sous ses ordres plus de cinq mille hommes […].

Les Francs se jettent sur l'ennemi. Mais les païens voient qu'ils sont plus nombreux, et se sentent remplis d'assurance. Le calife, monté sur un cheval fauve[2], va frapper Olivier derrière dans le dos. Il lui a transpercé la poitrine et le dos.

30 « Vous avez pris là un bon coup ! lui crie-t-il. Charlemagne a eu tort de vous laisser aux cols. J'ai bien vengé les nôtres ! »

Olivier sent qu'il est blessé à mort. Il tient Hauteclaire dans son poing et frappe le calife sur son casque d'or pointu. Il lui tranche le crâne jusqu'aux dents de devant.

35 « Maudit païen ! Tu ne te vanteras plus d'avoir causé du tort à Charlemagne ! »

Olivier sent qu'il est perdu. Il appelle Roland, son ami et son pair. Il continue cependant de combattre. Le sang coule le long de son corps et tombe sur le sol. Il a tant saigné que sa
40 vue se trouble, il ne peut reconnaître personne. Quand Roland s'approche, il lui assène un coup sur son heaume, et le lui fend du sommet au nasal[3]. Mais il n'a pas touché sa tête. Roland le regarde et lui dit avec douceur :

« Compagnon, l'avez-vous fait exprès ? C'est moi, Roland,
45 qui vous aime tant.

– Je vous entends parler, maintenant, mais je ne vous vois pas. Que Notre-Seigneur, lui, nous voie ! Je vous ai frappé ? Pardonnez-le-moi !

– Non, je n'ai pas de mal. Je vous le pardonne, ici et devant
50 Dieu. »

C'est ainsi, pleins d'amour, qu'ils se sont dit adieu.

---

2. Le fauve est la couleur de la traîtrise. Le calife frappe Olivier par-derrière. | **3.** Partie du heaume qui protège le nez.

Olivier sent que la mort l'étreint. Ses yeux se révulsent. Il n'entend plus, il ne voit plus rien. Il descend de cheval et se couche par terre. D'une voix forte, il confesse ses péchés et prie Dieu de lui donner le paradis. Le cœur lui manque et son corps s'affaisse sur le sol. Le comte est mort, c'est fini.

Le comte Roland voit que son ami n'est plus. Tendrement il lui dit adieu :

« Seigneur compagnon, votre vaillance vous a été fatale ! Nous avons été ensemble durant des années. Puisque vous êtes mort, il m'est bien pénible de vivre. »

À ces mots, le comte s'évanouit sur son cheval Veillantif, mais ne tombe pas, retenu par ses étriers. Quand il reprend ses esprits, il ne peut que constater le désastre : les Francs sont défaits. Contre ceux d'Espagne, ils ont vaillamment combattu, mais les païens les ont vaincus. Il ne reste plus que Gauthier de l'Hum et l'archevêque Turpin.

Le comte Roland est un noble guerrier, Gauthier de l'Hum un hardi chevalier, et l'archevêque n'est pas moins vaillant. Aucun des trois ne veut abandonner les autres. Dans la grande mêlée, ils se sont jetés avec une telle fureur que les païens n'osent les approcher. Ils leur ont lancé leurs javelots. Au premier coup, ils ont tué Gauthier et percé l'écu de Turpin de Reims. Ils ont rompu et démaillé son haubert, et percé son corps de quatre épieux. Quelle douleur, quand l'archevêque tombe !

Le comte Roland combat vaillamment, mais son corps brûlant ruisselle de sueur. Sa tête le fait horriblement souffrir, car il s'est rompu la tempe en soufflant dans son cor. Mais il veut savoir si Charlemagne va arriver. Il saisit l'olifant et le sonne faiblement.

L'empereur s'arrête et écoute.

« Seigneurs, les choses vont bien mal pour nous. Roland mon neveu nous quitte aujourd'hui. J'entends au son du cor qu'il n'a plus longtemps à vivre. Galopons à toute allure pour le rejoindre ! Faites retentir tous les clairons de cette armée ! »

85   Soixante mille clairons sonnent de toute leur puissance. Les monts retentissent et les vallées leur répondent. Les païens l'entendent. Ils ne le prennent pas à la légère et se disent entre eux :

     « Charlemagne ne va pas tarder à être sur nous ! L'empereur revient : entendez les clairons ! Le comte Roland est si farouche
90 qu'il ne sera vaincu par aucun mortel. Lançons contre lui nos traits, puis laissons-le sur place ! »

     Ils font pleuvoir les flèches, les piques, les javelots. Ils ont brisé son écu et déchiré son haubert, mais ils ne l'ont pas atteint dans sa chair. Veillantif, le bon destrier, s'écroule, blessé
95 à mort. Le comte reste là sans monture.

     Pleins de colère et de fureur, les païens s'enfuient. Ils se hâtent de retourner en Espagne. Mais le comte Roland n'est pas en mesure de les poursuivre : il a perdu Veillantif, son destrier. Bon gré mal gré, le voilà à pied. Il va alors porter aide à l'ar-
100 chevêque Turpin. Il lui délace de la tête son heaume orné d'or, et le dégage de son haubert brillant. Puis il découpe son bliaut pour panser ses plaies. Il le serre dans ses bras tout contre son cœur, puis le couche sur l'herbe verte avec beaucoup de douceur. Tendrement, il lui adresse cette prière :

105   « Noble seigneur, accordez-moi ceci : nos compagnons que nous aimions tant, voilà qu'ils sont morts. Nous ne devons pas les abandonner. Je veux aller les chercher, les reconnaître et les aligner côte à côte ici.

     – Allez, et revenez vite, dit l'archevêque. Les païens ont fui,
110 et le champ de bataille est maintenant à nous. »

     Roland revient sur ses pas à travers le champ de bataille. Il explore les vallées et les montagnes. Là il trouve Gérin et Gérier, son compagnon, il trouve Bérenger et Othon, il trouve Anseïs et Samson, il trouve le vieux Girart de Roussillon. Un
115 par un, le baron les a pris. Il est revenu avec eux vers l'archevêque et les a mis en rang. Turpin ne peut se retenir de pleurer et lève la main pour leur donner sa bénédiction :

« Quel grand malheur vous a frappés, seigneurs ! Que Dieu reçoive l'âme de chacun de vous et qu'il la place dans son
20 paradis parmi les saintes fleurs ! Je sens ma propre mort m'étreindre. Jamais plus je ne verrai le puissant empereur. »

Roland est retourné sur le champ de bataille pour reprendre ses recherches. Il a retrouvé son ami Olivier. Il l'embrasse étroitement et le serre contre sa poitrine, puis il le couche sur
25 son écu et revient vers l'archevêque.

« Cher compagnon Olivier, vous êtes né du puissant duc Rénier. Pour briser les lances et mettre en pièces les écus, vous n'aviez pas votre pareil. Vous saviez vaincre les orgueilleux, mais aussi conseiller et aider les hommes de bien. Nulle part
30 au monde, il n'y avait meilleur chevalier que vous. »

Le comte Roland voit tous ses compagnons morts, et Olivier qu'il aimait tant. Son cœur s'attendrit et il se met à pleurer. Son visage perd toute couleur, il ne peut se tenir debout et tombe à terre évanoui.

35 En voyant Roland s'évanouir, Turpin éprouve la plus grande douleur de sa vie. Il prend l'olifant et veut aller à la rivière qui coule à Roncevaux, pour lui donner de l'eau. Il marche, chancelant, à petits pas, mais il est si affaibli qu'il ne peut aller bien loin. Il a perdu trop de sang, le cœur lui manque et il tombe
40 en avant. Sa mort est proche.

Le comte Roland reprend connaissance et regarde autour de lui. Il voit ses compagnons étendus sur l'herbe verte et le noble archevêque, représentant de Dieu. Turpin lève les yeux au ciel et confesse ses péchés. Il tend les deux mains vers
45 le ciel et prie Dieu de lui donner le paradis. Il est mort, Turpin, le guerrier de Charlemagne. Que Dieu lui accorde sa bénédiction !

Roland voit l'archevêque à terre. Sur sa poitrine il a croisé ses belles mains blanches. Il prononce, selon la coutume, une
50 profonde lamentation :

« Noble seigneur, chevalier de bonne race, je vous recommande au Dieu du Ciel. Depuis les saints apôtres, aucun homme ne l'a servi de plus grand cœur, pour maintenir et étendre la vraie foi. Que les portes du paradis vous soient ouvertes ! »

155 Roland sent venir la mort. Il a reçu tant de coups que la cervelle lui coule par les oreilles. Dans une main il a pris l'olifant et dans l'autre Durendal, sa bonne épée. Il se dirige vers l'Espagne et monte sur une butte. Sous un bel arbre, il y a quatre blocs de marbre. C'est là qu'il vient chercher refuge,
160 mais il tombe à la renverse sur l'herbe verte et s'évanouit, car la mort se rapproche.

Hauts sont les monts et très hauts les arbres. Roland est évanoui sous le pin, sur l'herbe verte. Mais voilà qu'un Sarrasin l'observe : il s'est barbouillé le visage de sang et a fait semblant d'être mort,
165 étendu parmi les autres. Il se relève et, poussé par un fol orgueil, veut s'emparer des armes de Roland : « Le voilà vaincu, le neveu de Charlemagne ! J'emporterai cette épée en Arabie ! »

Roland sent qu'on lui prend son épée. Il ouvre les yeux et dit seulement :
170 « Tu n'es pas des nôtres, à ce que je vois ! »

Il serre son précieux olifant, qu'il ne lâcherait à aucun prix, et en porte un coup sur le heaume de son assaillant. Il brise l'acier, la tête et les os, et l'abat mort à ses pieds.

« Canaille de païen, comment as-tu osé porter la main sur
175 moi ? Ceux qui le sauront te tiendront pour un fou ! »

Mais Roland sent que sa vue se brouille. Son visage est livide, il rassemble ses forces pour se mettre debout. Devant lui se trouve une roche bise. Brandissant son épée, il y frappe dix coups, plein de colère et de rage. L'acier grince mais sans se
180 briser ni s'ébrécher.

« Ah, sainte Marie, aidez-moi ! Durendal, bonne épée, quel malheur pour toi ! J'ai remporté grâce à toi tant de combats, j'ai conquis tant de bonnes terres pour le roi Charlemagne,

dont la barbe est fleurie ! Tu as appartenu à un vaillant vassal,
ne tombe pas entre les mains d'un guerrier lâche, capable de
fuir dans un combat ! Jamais on ne verra pareille épée dans
le royaume de France ! »

Roland frappe sur le bloc de sardoine[4]. Il en abat un large
pan, mais l'acier ne se rompt pas. Quand il voit qu'il ne peut
la briser, il se plaint doucement en lui-même :

« Ah, Durendal, comme tu es belle, claire, étincelante !
Comme tu brilles et flamboies au soleil ! Quand Charlemagne
se trouvait dans les vallées de Maurienne, c'est Dieu lui-même
qui lui fit transmettre par un ange cette épée : il devait la
donner à un comte qui soit un vrai chef. Alors le noble roi la
mit à ma ceinture. Grâce à elle, je conquis l'Anjou, le Poitou
et le Maine, la Provence et l'Aquitaine, la Lombardie, les
Flandres et toute la Pologne. Grâce à elle, j'ai conquis tout ce
que possède maintenant le roi Charlemagne à la barbe fleurie !
Pour cette épée, je ressens douleur et peine. J'aime mieux
mourir que la voir entre les mains des païens. Dieu, Père saint,
préserve la France de cette honte ! »

Le comte Roland frappe la pierre bise. L'épée ne se froisse ni
ne se fend, elle rebondit en haut vers le ciel. Roland comprend
qu'il ne la brisera pas, et il la plaint tendrement en lui-même :

« Ah, Durendal, comme tu es belle et sainte ! Ton pommeau
d'or contient tant de reliques[5] ! Du sang de saint Basile et des
cheveux de Monseigneur saint Denis[6], et par-dessus tout un
morceau du voile de sainte Marie. Il serait injuste que des païens
te possèdent. C'est par des chrétiens que tu dois être servie. »

Roland sent que la mort le pénètre tout entier et que de la
tête elle descend au cœur. Il est allé en courant sous un pin et

---

4. Pierre de couleur brun rouge.
5. Ossements de saints, considérés
comme sacrés par les chrétiens.

6. Premier évêque de Paris, protecteur
des rois de France.

s'est couché sur l'herbe verte. Il a placé sous son corps l'épée et l'olifant. Il tourne la tête vers l'Espagne, du côté de l'ennemi
215 païen, car il veut que Charlemagne et tous les siens sachent qu'il est mort en conquérant.

Il sent que son temps est fini. Il confesse ses fautes et se frappe la poitrine[7] :

« Dieu, j'implore ta miséricorde[8] et je dis *mea culpa*[9] pour
220 tous mes péchés, les grands et les petits, que je fis depuis l'heure de ma naissance, jusqu'à ce jour où je suis frappé à mort. »

Le comte Roland est couché sous un pin, tourné vers l'Espagne. Le souvenir de bien des choses lui revient : de tant de terres qu'il a conquises en vrai baron, de la douce France, des
225 hommes de son lignage, de Charlemagne, son seigneur qui l'a élevé. Il ne peut s'empêcher de pleurer et de soupirer, mais c'est le salut de son âme qui lui importe le plus. Il fait son *mea culpa* et demande pardon à Dieu :

« Véritable Père, qui restes toujours fidèle, toi qui ressuscitas
230 Lazare[10], toi qui sauvas Daniel des lions, sauve-moi de tous les périls[11] où m'ont mis les péchés commis dans ma vie ! »

Il a tendu vers Dieu son gant droit[12], et l'ange Gabriel l'a pris de sa main. Roland a laissé pencher sa tête et, les mains jointes[13], il est allé à sa fin. Dieu lui envoie son ange Chérubin
235 et l'archange saint Michel du Péril de la mer. Saint Gabriel se joint à eux et ils emportent l'âme du comte en paradis.

---

7. Geste par lequel le chrétien se reconnaît coupable envers Dieu.
8. Pitié que Dieu peut avoir pour celui qui regrette ses péchés.
9. *Mea culpa* signifie « c'est ma faute », en latin. Pour les chrétiens, ce sont les paroles principales de la prière de confession.
10. Dans les Évangiles, Jésus ressuscite (ramène à la vie) son ami Lazare.
Dans l'Ancien Testament, le prophète Daniel, jeté dans la fosse aux lions, est miraculeusement épargné.

11. Le grand péril où les péchés mettent le croyant, c'est d'aller en enfer après sa mort.
12. Geste de l'hommage : le vassal tend son gant à son suzerain, dont il reconnaît l'autorité et demande la protection.
En tendant son gant à Dieu, Roland se reconnaît comme « son homme ». Cet hommage est accepté, puisque l'ange Gabriel vient recueillir le gant.
13. Geste de prière, mais aussi geste du vassal agenouillé, qui prête hommage à son souverain.

Questions

Repérer et analyser

La défaite des Francs

1 Combien de Francs sont survivants, face aux païens ? Dans quel ordre meurent-ils ?

2 Quelle est la réaction des païens lorsqu'ils comprennent que Charlemagne est en train d'arriver ?

Les adieux de Roland et d'Olivier

L'amitié entre Olivier et Roland rappelle les amitiés que l'on trouve dans l'épopée homérique (Achille / Patrocle).

3 Dans quelles circonstances tragiques Roland et Olivier se disent-ils adieu ?

4 Relevez des expressions qui témoignent de l'amitié et de l'affection qu'ils se portent.

La mort héroïque

Olivier

5 Quel est le dernier combat d'Olivier ? Montrez qu'il se bat jusqu'au bout.

6 À quel personnage rend-il hommage en donnant son dernier coup d'épée ?

Roland

7 Les païens ont-ils réussi à tuer Roland ? Quelle est la cause de sa mort ?

8 Montrez que Roland témoigne d'une énergie héroïque jusqu'à son dernier souffle.

a. Appuyez-vous sur les verbes d'action dont le sujet est Roland : l. 99-125 (« Il va alors porter [...] »), l. 155-161 et l. 171-180.

b. Soulignez les verbes de mouvement. Quels différents déplacements Roland effectue-t-il ?

c. Pourquoi Roland tourne-t-il la tête vers l'Espagne ?

Des chevaliers chrétiens

9 **a.** Comment Roland et Turpin rendent-ils hommage aux compagnons morts sur le champ de bataille ?

b. Turpin meurt après un dernier geste de charité. Lequel ?

10 **a.** Montrez en citant le texte que Roland comme Olivier meurent en chrétiens.

b. Quels gestes Roland fait-il avant sa mort ? Quelle est la signification de ces gestes (aidez-vous des notes) ?

L'écriture épique

La comparaison épique

11 Relevez, l. 9-12, deux comparaisons animales qui montrent que Roland comme les Francs sont vaillants au combat.

Les répétitions

12 Relevez les répétitions concernant :

– le décor dans lequel meurt Roland ;

– les tentatives qu'il fait pour briser son épée ;

– l'état physique de Roland avant qu'il ne perde la vie. Montrez que chaque répétition apporte une précision nouvelle.

La lamentation funèbre

L'éloge funèbre est un discours prononcé à la mémoire d'une personne disparue.

13 Par trois fois, Roland s'adresse à ses camarades morts. De qui s'agit-il ? Que dit-il à chacun ?

Le réalisme et le grossissement épique

14 Relevez les expressions par lesquelles le narrateur décrit les blessures et dépeint l'agonie des héros. Quel est l'effet produit sur l'auditeur ?

L'épée merveilleuse

15 **a.** Quelle est l'origine de l'épée de Roland ? Pourquoi veut-il la briser ?

b. Combien de fois Roland s'adresse-t-il à elle ?

c. Relevez les adjectifs par lesquels il la caractérise.

d. Quelle place tient-elle dans sa vie et dans son cœur ?

e. Quels éléments font d'elle une épée sainte ?

Le merveilleux chrétien

Le merveilleux chrétien fait intervenir les anges et les saints.

16 Quels personnages surnaturels interviennent dans le récit ? Quel est leur rôle ?

Étudier la langue

Mode et temps

17 Complétez en conjuguant le verbe au mode et au temps qui conviennent. Vous identifierez ce mode et ce temps.

a. Seigneurs barons, que Dieu (*avoir pitié*) de vous !

b. Que Dieu (*recevoir*) l'âme de chacun de vous et qu'il la (*placer*) dans son paradis parmi les saintes fleurs !

c. Que les portes du paradis vous (*être*) ouvertes !

d. Que Dieu vous (*entendre*) !

Se documenter

Roland, le bon vassal

Si Roland est devenu très tôt une image légendaire, c'est parce qu'il est une incarnation, au plus haut degré, des valeurs féodales. Plus qu'un personnage, au sens moderne du terme, il est un type. Il est le vassal par excellence, totalement dévoué à son suzerain, et ce dévouement s'exprime avant tout dans sa fonction guerrière : « C'est pour ces coups que l'empereur nous aime. » Il conquiert terres et villes pour son seigneur, sans ménager sa peine, « sans craindre de perdre cuir ou poil ». C'est là l'essence même de sa vie, et les pensées qui l'habitent au moment de sa mort, avant de se tourner vers Dieu, sont caractéristiques : les hommes de son lignage, la douce France, Charlemagne. On a souvent remarqué qu'il n'a pas une pensée pour la belle Aude, qui, elle, mourra de douleur pour lui ! Mais nous sommes dans l'univers épique, et non romanesque, et la dame ne joue pas encore un bien grand rôle dans l'esprit du chevalier !

De cet univers essentiellement guerrier, Roland a aussi les défauts, ou du moins les tentations. C'est de cela, et non d'une quelconque psychologie, que relève sa « démesure ». Folle témérité, orgueil que met en relief la scène du cor, avant la bataille. « On ne chantera pas sur moi une mauvaise chanson » : le souci de sa gloire personnelle et de celle de son lignage, de ce qu'on appellerait de nos jours « son image personnelle », le conduit à faire preuve d'une inconscience coupable, à mettre en péril les intérêts du groupe, donc ceux de Charlemagne et de la chrétienté. [...] Il meurt en héros, tourné vers l'ennemi et les yeux ouverts, pour le triomphe de son suzerain, mais aussi de son Dieu. Il meurt en martyr, rachetant sa faute, et Dieu accepte son sacrifice, puisqu'il lui envoie ses anges et l'accueille dans son paradis.

(in *La Chanson de Roland*, édition LPJ, 2007.)

Charlemagne assis entre un évêque, un clerc et des vassaux.
Miniature extraite de l'*Histoire de Charlemagne* par Gérard d'Amiens, XIVe siècle.
Paris, Bibliothèque nationale de France.

Extrait 7

« L'empereur s'arrache la barbe, en homme désespéré »

8
Le retour de Charlemagne

Roland est mort. Dieu ait son âme dans les cieux ! L'empereur arrive à Roncevaux. Là, pas une route, pas un sentier, pas un pied de terrain où il n'y ait le cadavre d'un Franc ou d'un païen. Charlemagne s'écrie :

5 « Où êtes-vous, mon cher neveu ? Où est l'archevêque ? Et le comte Olivier ? Où sont Gérin et son compagnon Gérier ? Où sont le Gascon Angelier, le duc Samson et le baron Anseïs ? Où est Girart de Roussillon, et les douze pairs que j'avais laissés ? »

10 À quoi bon, personne ne lui répond ! L'empereur s'arrache la barbe, en homme désespéré. Ses hommes versent des larmes et s'évanouissent de douleur. Il n'est chevalier ni baron qui ne pleure un fils, un frère, un neveu, un compagnon ou un seigneur. Le duc Naimes réagit en homme de courage. Le tout premier, 15 il dit à l'empereur :

« Regardez à deux lieues autour de vous. La poussière des chemins n'est pas encore retombée sous les pas des païens. En avant, à cheval ! Vengez votre douleur !

– Dieu, fait Charlemagne, ils sont déjà bien loin ! Mais je 20 ne les laisserai pas profiter de leur victoire : de douce France, ils m'ont ravi la fleur ! »

Le roi donne des ordres à ses hommes :

« Gardez le champ de bataille, les vallées et les montagnes.

Laissez les morts étendus comme ils sont ; que personne n'y
25 touche jusqu'à ce que nous soyons de retour. »

Il a laissé là mille chevaliers, puis il a fait sonner ses clairons.
Le voilà qui chevauche avec sa grande armée. Ils ont retrouvé
la trace de ceux d'Espagne et les poursuivent avec ardeur. Mais
le roi voit que le soleil est près de se coucher. Il met pied à terre
30 dans un pré, sur l'herbe verte, et se prosterne. Il prie le Seigneur
Dieu qu'il arrête la course du soleil[1], qu'il retarde la nuit et
prolonge le jour. Voici que vient à lui l'ange qu'il connaît bien,
et il lui ordonne aussitôt :

« Charlemagne, chevauche, la clarté ne te manquera pas.
35 Tu as perdu la fleur de France, Dieu le sait. Mais tu peux te
venger de cette race criminelle. »

Pour l'empereur, Dieu a fait un très grand miracle : le soleil
s'est arrêté, immobile. Les païens s'enfuient, les Francs les
poursuivent. Ils les rejoignent au Val Ténébreux et les pour-
40 chassent jusqu'à Saragosse. Ils leur coupent les routes et les
chemins, ils les taillent en pièces à coups redoublés. Les voici
devant le cours de l'Èbre. Là, ni canot, ni barque, ni chaland[2].
Les païens implorent leur dieu Tervagant, puis sautent dans
le fleuve, mais personne ne les protège. Les soldats en armes,
45 lourdement chargés, coulent à pic en grand nombre. Les autres
flottent au fil du courant, mais boivent tant d'eau qu'ils finis-
sent par se noyer avec d'atroces souffrances.

Quand Charlemagne voit que tous ces païens sont morts,
tués ou noyés, et qu'un énorme butin a été pris, il met pied à
50 terre. Il s'agenouille et rend grâces à Dieu. Quand il se redresse,
le soleil est couché. Il s'adresse aux Francs :

---

1. Le miracle du soleil arrêté est une imitation d'un épisode de la Bible : Dieu arrête la course du soleil pour permettre à Josué de vaincre les Amoréens (Livre de Josué, 10, 13).

2. Bateau à fond plat, servant pour le transport des marchandises sur les rivières.

« Il est temps de dresser le camp. Il est trop tard pour retourner à Roncevaux, et nos chevaux sont las et épuisés. »

Le roi a établi son camp. Les Francs dessellent les chevaux et les font paître dans l'herbe fraîche. Les guerriers fatigués dorment à même la terre.

L'empereur s'est couché dans le pré. Il place près de sa tête son grand épieu. Cette nuit-là, il n'a pas voulu quitter ses armes. Il conserve son haubert brillant, son heaume aux pierreries serties dans l'or. Il porte à son côté Joyeuse, l'épée sans pareille, qui chaque jour change trente fois de reflets.

Claire est la nuit et la lune brillante. Charlemagne est couché, mais son cœur est rempli de douleur pour Roland, pour Olivier et les douze pairs, et pour les Francs qu'il a laissés, sanglants, à Roncevaux. Il prie Dieu de sauver leurs âmes. Sa peine est immense, mais il finit par s'endormir, à bout de forces.

L'empereur dort d'un sommeil tourmenté. Dieu lui a envoyé l'ange Gabriel, à qui il commande de veiller sur lui. L'ange reste toute la nuit à son chevet. Par une vision[3], il lui annonce qu'une grande bataille lui sera livrée. Charlemagne regarde vers le ciel et y voit des signes très inquiétants : le tonnerre, le gel, le vent s'abattent sur son armée. La foudre déchaîne ses feux et ses flammes, elle brûle les lances de frêne et de pommier, et jusqu'aux écus ornés d'or. Ses chevaliers sont dans une grande détresse. Puis des ours et des léopards veulent les dévorer, ainsi que des serpents, des dragons, et plus de trente mille griffons[4]. Terrifiés, ils crient : « Charlemagne, à l'aide ! »

Le roi, saisi de douleur et de pitié, veut les secourir, mais il en est empêché : du fond du bois surgit un grand lion, orgueilleux

---

3. Ce premier songe annonce la grande bataille avec Baligant (chapitre 9). Parmi les adversaires des chevaliers chrétiens, on note le dragon, emblème de Baligant.

4. Dragons et griffons sont des animaux imaginaires. Le dragon est un serpent à pattes crachant des flammes. Le griffon, animal fabuleux de la mythologie antique, a un corps de lion avec une tête et des ailes d'aigle.

80 et féroce, qui s'attaque à lui. Ils luttent dans un terrible corps
à corps, mais le roi ignore qui a le dessus. Charlemagne ne
s'est pas réveillé.

À cette vision succède une autre. Il est en France, à Aix-la-
Chapelle. Il retient un ours avec deux chaînes. Mais du côté
85 de l'Ardenne, il voit venir trente ours, dont chacun parle comme
un homme. Ils lui disent : « Seigneur, rendez-le-nous ! Il n'est
pas juste que vous le gardiez. C'est notre parent, nous devons
lui porter secours. » De son palais accourt un chien de chasse.
Il attaque le plus grand des ours. Le roi assiste à un combat
90 prodigieux, mais il ne sait lequel l'emporte.

Voici les visions que l'ange de Dieu a montrées au vaillant
roi. Charlemagne a dormi jusqu'au clair matin.[5]

Le roi Marsile s'est retranché dans Saragosse. Il met pied à
95 terre sous un olivier et dépose son épée, son heaume et son
haubert. Il a perdu sa main droite tout entière, et le sang qui
coule le fait s'évanouir. Devant lui, sa femme Bramimonde
pleure, crie et s'afflige. Plus de vingt mille hommes, avec elle,
maudissent Charlemagne et la France. Ils se précipitent vers
100 Apollin, dans la crypte[6] où se trouve sa statue. Ils le querellent
et l'injurient violemment :

« Mauvais dieu, tu nous as couverts de honte ! Pourquoi
as-tu permis la défaite de notre roi ? »

Ils lui arrachent sa couronne, le renversent à terre et le foulent
105 aux pieds.

Marsile revient de son évanouissement. Il se fait porter dans
une chambre voûtée, aux murs ornés de peintures. La reine
Bramimonde pleure, s'arrache les cheveux et se lamente :

5. Dans ce deuxième songe, on peut penser que l'ours enchaîné est Ganelon (enchaîné), et les trente ours les hommes de son lignage qui se porteront garants pour lui (chapitre 10). Ce lignage semble venir d'Ardenne (Pinabel). Le chien de chasse qui s'attaque à eux est Thierry, un chevalier de Charles.
6. Église ou chapelle souterraine.

**Verrière de Charlemagne, détail : saint Jacques le Majeur apparaît à Charlemagne.
Vitrail, vers 1225. Chartres, cathédrale Notre-Dame.**

« Ah, Saragosse, comme ton roi est aujourd'hui démuni !
10 Nos dieux sont bien félons, ils ne l'ont pas protégé dans la
bataille ! N'y aura-t-il personne pour tuer cet empereur de
malheur ? »

Le roi Marsile n'a qu'un espoir. Il y a sept ans, quand
Charlemagne a commencé sa guerre contre lui, il a fait sceller[7]
15 des lettres. Il a envoyé des messagers à Baligant, l'émir de
Babylone[8]. C'est un guerrier chargé d'ans, il a la sagesse de
Virgile et d'Homère[9]. Lui seul peut réunir ses peuples de plus
de quarante pays pour venir le secourir dans Saragosse.

7. Sceller une lettre, c'est la fermer
avec de la cire chaude, sur laquelle on
imprime son sceau en relief.
8. Babylone est une cité prestigieuse du
Moyen-Orient (actuellement ses ruines
sont en Irak). Mais dans les chansons
de geste, c'est le nom donné à la ville du

Caire (Égypte). Baligant est représenté
comme le suzerain de Marsile, souverain
du royaume espagnol de Saragosse.
9. Le Moyen Âge a beaucoup de respect
pour les auteurs de l'Antiquité classique :
Virgile est alors l'écrivain le plus célèbre
de Rome, et Homère de la Grèce.

Questions

Repérer et analyser

La progression du récit

1 Dans quel lieu Charlemagne arrive-t-il ? Quel spectacle s'offre à lui ?

2 Pourquoi n'enterre-t-il pas les morts tout de suite ?

3 Relevez, l. 26-47, les verbes qui décrivent les actions de chrétiens et des païens. Qui a le dessus ?

4 Jusqu'aux abords de quelle ville les Francs poursuivent-ils les païens ?

Le merveilleux chrétien

Prodiges et miracles

L'intervention du surnaturel n'étonnait pas l'auditoire du XIᵉ ou XIIᵉ siècle.

5 **a.** Quelle prière Charlemagne fait-il à Dieu pour venir à bout des païens ? Que lui annonce l'ange qui lui apparaît ?

b. Quel miracle Dieu accomplit-il ?

6 Quel autre ange vient veiller Charlemagne toute la nuit ?

Les songes prémonitoires

On pense que les songes prémonitoires sont envoyés par Dieu, ses anges ou ses saints, pour avertir les hommes.

7 **a.** Quels sont les deux songes de Charlemagne ?

b. En quoi ces songes sont-ils inquiétants ?

c. Quels animaux sont présentés comme malfaisants ?

d. Ces songes permettent-ils à Charles d'anticiper le danger ? Justifiez votre réponse.

Le personnage de Charlemagne

8 Quels gestes de Charlemagne montrent qu'il se conduit en empereur chrétien ?

9 **a.** Montrez en citant le texte qu'il témoigne d'une grande sensibilité et d'une grande humanité.

b. Dans quel passage est-il fait allusion à sa barbe ?

Les païens

Les païens sont polythéistes, idolâtres et adorent des statues de métal précieux. Leur religion, dépeinte dans *La Chanson de Roland,* n'est pas l'islam.

10 Montrez en citant le texte que les païens sont toujours présentés comme étant très nombreux.

11 a. Quels dieux les païens invoquent-ils ?
b. Comment se comportent-ils avec leurs dieux après leur défaite ? Relevez les termes qui expriment la violence de leur réaction.

12 a. Qu'est-il advenu du roi Marsile ?
b. Quel personnage va-t-il appeler à son secours ?

Les formules épiques

13 Relevez les termes qui caractérisent la France, la nuit, l'herbe, le haubert et le heaume de Charlemagne, son épée, le matin.

Étudier la langue

Le sujet

14 Relevez les sujets et leur verbe dans les phrases suivantes :
a. Le tonnerre, le gel, le vent s'abattent sur son armée. **b.** Du fond du bois surgit un grand lion. **c.** Les Francs dessellent les chevaux et les font paître dans l'herbe verte. **d.** Où êtes-vous, mon cher neveu ?

Les propositions subordonnées

15 Identifiez la proposition subordonnée relative et la proposition subordonnée conjonctive. Comment les avez-vous distinguées ?
a. Le cœur de Charlemagne est rempli de douleur pour Roland, pour Olivier et les douze pairs et pour les Francs qu'il a laissés sanglants à Roncevaux.
b. Charlemagne prie le Seigneur qu'il arrête la course du soleil.

Autour du mot ange

16 À partir de chaque définition, trouvez une expression comportant le mot ange. Aidez-vous du dictionnaire.
a. Une patience à toute épreuve. **b.** Être très heureux. **c.** Un silence prolongé se produit. **d.** Plongeon les bras écartés.

Extrait 8

« La mort de Roland sera cher payée »

9
L'émir Baligant

L'émir de Babylone a fait appeler ses peuples de quarante royaumes, il a fait apprêter ses bateaux de guerre, ses dromons, ses galères[1], toute sa flotte. En mai, aux premiers jours de l'été, il a lancé sur la mer toutes ses armées.

5 Les navires ont fait voile de toute leur vitesse vers l'Espagne. Au sommet de leurs mâts brillent les escarboucles[2], qui projettent une telle lumière que la mer en est toute illuminée la nuit. Ils atteignent la terre d'Espagne et entrent dans les eaux douces. Toute leur flotte a remonté l'Èbre jusqu'à Saragosse.

10 Le jour est clair, le soleil éclatant. L'émir est descendu de son navire, avec dix-sept rois qui lui font escorte, et je ne sais combien de ducs et de comtes. Sous un laurier, au milieu d'un champ, ils ont jeté un tapis de soie blanche et installé un fauteuil d'ivoire. Là va s'asseoir le païen Baligant. Tous les 15 autres restent debout à l'écouter.

« Écoutez donc, nobles chevaliers vaillants ! Le roi Charlemagne, l'empereur des Francs, m'a fait par toute l'Espagne une guerre acharnée. Mais j'irai le chercher jusqu'en France. Je n'aurai de répit, durant toute ma vie, jusqu'à ce 20 qu'il soit mort ou qu'il se rende, vivant. »

---

1. Les dromons sont de grands vaisseaux de course ; les galères sont des navires de guerre avec d'importants équipages de rameurs.

2. Pierre précieuse rouge, rubis ou grenat. Elle avait alors la réputation de répandre d'elle-même de la lumière, donc de pouvoir éclairer dans l'obscurité.

Il frappe son genou de son gant droit. Tous ses hommes l'approuvent et l'encouragent. Il a fait le serment de poursuivre Charlemagne jusqu'à Aix-la-Chapelle. Puis il a convoqué deux conseillers, Clarifan et Clarien.

« Je vous ordonne d'aller à Saragosse, auprès du roi Marsile. Donnez-lui en gage ce gant brodé d'or, qu'il le passe à son poing droit. Portez-lui aussi ce bâton d'or pur, insigne de votre mission. Vous direz à Marsile que je suis venu l'aider contre les Francs. Si je trouve l'occasion, il y aura une terrible bataille. Je ferai la guerre à Charlemagne jusqu'en France. S'il ne se couche pas à mes pieds pour crier merci, s'il ne renie pas la foi des chrétiens, je lui ôterai la couronne de la tête. »

Les païens l'acclament :

« Seigneur, vous avez raison ! »

Les messagers chevauchent. Les voici à Saragosse. Ils passent dix portes, franchissent quatre ponts et approchent de la ville haute. Là, ils trouvent une foule de païens qui mènent grand deuil :

« Malheureux, qu'allons-nous devenir ? Quelle calamité nous accable ! Nous avons perdu le roi Marsile. Hier, le comte Roland lui a tranché le poing droit. Il a tué aussi son fils, Jurfaret le Blond. »

Les messagers se sont présentés devant le roi et la reine. Ils saluent Marsile :

« Que Mahomet, qui règne sur nous, et Apollin et Tervagant, protègent le roi et la reine !

– Quelle folie ! leur répond Bramimonde. Nos dieux se sont montrés impuissants. À Roncevaux, ils ont laissé tuer nos chevaliers, et mon époux a perdu son poing droit. Que deviendrai-je, pauvre malheureuse ?

– Dame, nous sommes les messagers de l'émir Baligant. Il a débarqué sur les bords de l'Èbre avec quatre mille navires pour livrer la guerre à l'empereur Charlemagne. Il compte le tuer et le réduire à merci. Il le poursuivra jusqu'à Aix.

– Il n'aura pas besoin d'aller si loin, lui répond Bramimonde.
55 L'empereur est ici depuis sept ans !

– Cela suffit, dit Marsile. Adressez-vous à moi ! Vous le
voyez, la mort me serre de près : je n'ai plus d'héritier, mon
fils a été tué hier soir. Dites à mon seigneur qu'il vienne me
voir. Il a des droits sur l'Espagne, je la lui abandonne s'il veut
60 la prendre. Vous lui porterez les clefs de la cité de Saragosse,
qu'il la défende contre les Francs ! L'empereur a couché cette
nuit sur les bords de l'Èbre ; j'en ai fait le calcul, il n'est pas à
plus de sept lieues d'ici. Dites à l'émir qu'il y amène son armée
et lui livre bataille. »

65 Les messagers sont retournés auprès de l'émir et lui ont donné
les clefs de Saragosse. Puis ils lui ont exposé la situation :

« Le roi Marsile est blessé à mort. L'empereur était en train
de repasser les cols pour retourner vers la France, en laissant
derrière lui son arrière-garde. Le comte Roland lui a tranché
70 le poing droit et tué son fils, mais finalement, il est mort lui-
même, avec les douze pairs et vingt mille chevaliers. Mais
l'empereur est revenu. Avec ses barons, il a pourchassé âpre-
ment son armée jusqu'à l'Èbre. Le roi Marsile vous demande
de le secourir, et vous abandonne le royaume d'Espagne. »

75 L'émir Baligant a rassemblé ses troupes. Il a rejoint Marsile
dans Saragosse. C'est lui qui reprendra la lutte contre
Charlemagne. Le voilà qui chevauche à la tête de ses troupes.

« Venez, païens, car déjà les Francs s'enfuient ! »

80 Les Francs, ce jour-là, se sont réveillés aux premières lueurs
de l'aube, dans leur camp au bord de l'Èbre. Ils sont remontés
en selle et chevauchent dans la plaine par les longues routes
et les larges chemins. Ils retournent vers Roncevaux, où eut
lieu la bataille. Ils vont retrouver le prodigieux désastre.

85 Charlemagne est arrivé à Roncevaux. Le voilà qui recherche
son neveu à travers les prés. Les fleurs sont vermeilles du sang

de ses barons. Il ne peut se retenir de pleurer. Il est parvenu à un groupe d'arbres ; là, sur quatre blocs de pierre, il reconnaît les coups de Roland, et il voit son neveu, gisant sur l'herbe verte.
Il met pied à terre et court vers lui. Entre ses bras il le prend et tombe évanoui sur son corps, tellement l'angoisse l'étreint.

Quand Charlemagne revient de son évanouissement, il se relève, soutenu par quatre de ses barons. Il voit son neveu à terre : son corps a gardé sa force, mais il a perdu sa couleur et ses yeux sont remplis de ténèbres. Il a prononcé sa lamentation, avec beaucoup de tendresse :

Mort de Roland à Roncevaux. Miniature extrait d'un manuscrit illustré par Fouquet, XVᵉ siècle. Paris, Bibliothèque nationale de France.

« Ami Roland, que Dieu mette ton âme parmi les fleurs du paradis, au milieu de ses glorieux élus ! Quel mauvais seigneur tu as suivi en Espagne ! Il ne se passera pas un jour sans que je
100 souffre en pensant à toi. Je n'aurai plus personne, aucun ami, aucun parent, qui soutienne mon honneur comme tu l'as fait. Comme ma force et ma hardiesse ont décliné en un jour ! »

Il s'arrache les cheveux et la barbe à pleines mains. Cent mille Francs éprouvent une douleur profonde et pleurent amèrement.

105 « Grand Dieu, dit l'empereur, ma douleur est si grande que je ne voudrais plus vivre ! Tant de vassaux sont morts ici pour moi ! Jésus, fils de sainte Marie, accorde-moi, avant d'atteindre les défilés, que mon âme se sépare aujourd'hui de mon corps, qu'elle prenne place parmi leurs âmes, et que mon corps soit
110 enfoui auprès d'eux !

— Seigneur empereur, intervient Geoffroy d'Anjou, ne vous laissez pas aller à la douleur ! Faites rechercher les nôtres sur le champ de bataille. »

Charlemagne a fait prendre les corps du comte Roland, d'Oli-
115 vier et de l'archevêque Turpin. Il les a fait laver avec du vin et des aromates et placer dans de beaux cercueils blancs. On les a mis sur trois charrettes, recouverts d'un drap de soie.

L'empereur, ensuite, a fait sonner du cor. Tous les Francs ont mis pied à terre et sont allés chercher les corps pour les placer
120 dans une seule fosse. Les évêques, les abbés[3] et les moines les ont bénis au nom de Dieu. Ils ont fait brûler de la myrrhe et de l'encens[4] avec ferveur, et en grande pompe ils les ont enterrés. Puis ils les ont laissés : que pourraient-ils faire de plus ?

---

3. L'abbé dirige les moines d'un monastère ou abbaye.
4. Parfums que l'on brûlait dans les cérémonies religieuses, depuis l'Antiquité. La myrrhe et l'encens sont des résines odorantes fournies par des arbustes du Moyen-Orient.

L'empereur veut maintenant s'en retourner. Mais voici que
surgissent devant lui les avant-gardes des païens. Des messagers viennent, au nom de l'émir, lui annoncer la bataille :
« Roi orgueilleux, il n'est pas question que tu t'en ailles !
Vois Baligant qui chevauche à ta rencontre. Grandes sont les
armées qu'il amène d'Arabie. Nous allons voir aujourd'hui
même ce qu'il en est de ton courage ! »

Le roi a porté la main à sa barbe. Il se souvient de sa douleur
et du désastre qu'il vient de subir. Il jette un regard farouche
sur son armée et s'écrie d'une voix forte et haute :

« Barons francs, à cheval et aux armes ! »

L'empereur s'équipe le tout premier. Il revêt son haubert,
lace son heaume et ceint Joyeuse, son épée aussi brillante que
le soleil. Il invoque Dieu et saint Pierre, l'apôtre de Rome.

Plus de cent mille Francs se sont armés. Ils montent en selle
avec allégresse, leurs gonfanons flottent au vent. Charlemagne
dit au duc Naimes :

« En de tels vassaux on peut avoir confiance. La mort de
Roland sera cher payée.

– Que Dieu vous entende ! »

L'empereur a trois compagnies et le duc Naimes forme la
quatrième avec des barons d'Allemagne d'une grande vaillance.
Ils sont vingt mille, bien équipés en chevaux et en armes.
Jamais la crainte de la mort ne leur fera abandonner le combat.
[...]

*(Un terrible combat a lieu entre les Francs et les païens. Des
deux côtés, les pertes sont lourdes...)*

Jusqu'au soir le combat fait rage. Parmi les barons francs,
les pertes sont lourdes. Que de deuils avant que le combat ne
prenne fin !

La bataille est difficile. Francs et Arabes frappent à coups redoublés. L'émir invoque Apollin et Tervagant et Mahomet :
« Mes dieux, je vous ai bien servis. Aidez-moi, et je vous
160 ferai des statues d'or pur ! »

Mais voici qu'on lui apporte de mauvaises nouvelles :
« Seigneur Baligant, un grand malheur vous frappe : vous avez perdu Malpromis votre fils. Deux Francs ont eu beaucoup de chance : l'un d'eux est l'empereur, je crois. Il est de grande
165 taille et de noble allure, et sa barbe est blanche comme fleur d'avril. »

L'émir baisse la tête, son visage s'assombrit, sa douleur est si atroce qu'il pense mourir. Puis il se redresse, étale sa barbe aussi blanche que fleur d'aubépine. Quoi qu'il en soit, il ne
170 veut pas se cacher. Il embouche sa claire trompette et sonne de toutes ses forces pour rallier ses compagnies.

Passe le jour et approche le soir. Francs et païens frappent toujours. Leurs chefs vaillants n'ont pas oublié leurs cris de guerre. L'émir a crié « Précieuse ! », et l'empereur « Montjoie ! »,
175 le cri fameux. Les voilà face à face au milieu du champ de bataille. Ils laissent courir leurs chevaux l'un contre l'autre, les lances volent en éclats sous le choc. Les épieux viennent déchirer les pans des hauberts, mais sans toucher leurs corps. Voilà que les sangles se rompent, les selles basculent, jetant à
180 terre les deux rois. Aussitôt, ils se remettent sur pied. Vaillamment, ils ont tiré leurs épées. La bataille ne sera pas différée : elle ne s'achèvera pas sans mort d'homme.

Charlemagne, de la douce France, est un valeureux guerrier, mais l'émir n'éprouve ni crainte ni peur. Ils brandissent leurs
185 épées nues et se donnent des coups violents sur leurs écus. Ils tranchent le cuir et le bois, les clous tombent, les voilà en miettes. Ils se frappent maintenant à découvert sur les hauberts. De leurs heaumes jaillissent des étincelles. L'émir prend la parole :

90 « Charlemagne, réfléchis donc ! Tu peux encore demander
ton pardon. Tu as tué mon fils, je le sais bien, et tu me disputes
mon pays à grand tort. Deviens mon vassal, je te le donnerai
en fief. Tu te mettras à mon service en Orient.

— Quel déshonneur pour moi ! Jamais païen n'aura de moi
95 paix ou amitié. Reçois la foi chrétienne et je t'aimerai. Tu
serviras Dieu, le roi tout-puissant.

— Voilà un bien mauvais sermon[5] ! »

Ils reprennent leurs épées. L'émir est d'une force exceptionnelle. Il frappe Charlemagne sur son heaume d'acier bruni,
100 qu'il fend en deux : l'épée touche les cheveux et entaille la
chair de la largeur d'une main, mettant l'os du crâne à nu.
Charlemagne chancelle et manque de tomber. Mais l'ange
Gabriel s'est approché de lui et lui demande :

« Grand roi, que fais-tu ? »

105 Quand Charlemagne entend la sainte voix de l'ange, son
cœur se raffermit et son bras retrouve sa vigueur : il frappe
l'émir de l'épée de France, brise son heaume et lui fend le
crâne. La cervelle se répand sur sa barbe blanche. Il l'abat
mort sans remède possible.

110 Charlemagne crie : « Montjoie ! », le cri de ralliement. Le
duc Naimes arrive et lui rend son destrier. Les païens, voyant
ce désastre, s'enfuient. Les Francs les poursuivent.

Forte est la chaleur, et la poussière monte du champ de
bataille. Les Francs talonnent les païens, qui s'enfuient vers
115 Saragosse. La reine Bramimonde est montée sur sa tour, avec
les clercs et les chanoines[6] de sa religion. Voyant massacrer
les Sarrasins, elle s'écrie :

---

5. Discours de morale fait à l'église par les prêtres et les religieux.
6. Les clercs sont les hommes d'Église ; les chanoines sont les religieux chargés d'administrer une cathédrale. L'auteur imagine la religion des Sarrasins sur le modèle de la religion chrétienne.

« Ah, noble roi, nos hommes sont vaincus et l'émir tué honteusement ! »

220 Marsile, du lit où il est allongé, entend ces mots. Anéanti par cette nouvelle, il se tourne vers le mur, ses yeux versent des larmes et sa tête retombe. Accablé par ce désastre, il est mort de douleur, rendant son âme aux démons.

Beaucoup de païens sont morts ou ont pris la fuite.
225 Charlemagne a gagné la bataille et fait abattre les portes de Saragosse. Il pénètre dans la cité avec ses gens. La reine Bramimonde lui a rendu les tours, dont dix sont grandes et cinquante petites.

Le jour passe, la nuit est tombée. La lune brille clair et les
230 étoiles scintillent. L'empereur a pris Saragosse. Mille Francs sont chargés de fouiller la ville, les synagogues et les mosquées[7]. Avec des maillets de fer et des haches, ils fracassent les statues et toutes les idoles[8] : il ne doit subsister ni sortilège, ni hérésie[9]. Le roi croit en Dieu et veut le servir fidèlement. Les évêques
235 bénissent les eaux et les païens sont conduits au baptistère[10]. Si l'un d'eux fait mine de refuser, Charlemagne le fait pendre, brûler ou décapiter. Plus de cent mille ont ainsi été baptisés et sont devenus de vrais chrétiens, à l'exception de la reine. Elle sera emmenée captive dans la douce France, car le roi veut
240 qu'elle se convertisse par amour de Dieu, et non sous la contrainte.

---

7. Les synagogues sont les lieux de culte des juifs, les mosquées ceux des musulmans. L'auteur distingue mal entre ces diverses religions qu'il connaît fort peu.
8. Les chansons de geste représentent l'islam comme une religion idolâtre (qui adore les idoles, images des dieux). Un moment essentiel est donc toujours la destruction des idoles des païens.
9. Les sortilèges sont des pratiques magiques. L'Église chrétienne nomme hérésies les religions fausses (d'après elle).

10. Le baptistère est un lieu réservé au baptême. Lors de cette cérémonie, on asperge d'eau (ou l'on plonge dans l'eau) celui qui adopte la religion chrétienne. Ces conversions de force, en masse, sont courantes dans les chansons de geste. Elles reflètent les pratiques de l'époque de Charlemagne. On peut évidemment s'interroger sur la valeur et la sincérité de telles conversions.

Questions

Repérer et analyser

Marsile et Baligant

1 Qui est l'émir Baligant ?

2 a. Pourquoi Baligant accepte-t-il d'aider Marsile et de combattre Charlemagne ?

b. Quel parcours effectue-t-il pour rejoindre Marsile ?

c. Montrez en citant le texte qu'il est entouré d'une grande escorte. Combien a-t-il de navires ?

> Les messagers sont fréquents dans les épopées orales. Ils permettent de rappeler à l'auditeur des événements qui viennent de se passer.

3 a. Qui sont les messagers de Baligant ?

b. Quel gage et quel objet apportent-ils à Marsile de la part de Baligant ?

c. Quel épisode rappellent-ils lorsqu'ils retrouvent Baligant ?

Charlemagne à Roncevaux

4 Relisez les l. 80-89 (« [...] l'herbe verte. »).

a. Relevez les éléments qui composent le cadre de Roncevaux.

b. Montrez que la nature conserve la trace des combats.

5 a. Quelle est la réaction de Charlemagne quand il découvre le corps de Roland ?

b. Quel éloge lui adresse-t-il (l. 97-110) ?

c. Que lui souhaite-t-il ? Et que souhaite-t-il pour lui-même ? Quel type de phrases utilise-t-il pour exprimer son émotion ?

6 Comment Charlemagne honore-t-il les morts ?

Le face-à-face : Baligant et Charlemagne

> Il est nécessaire, dans l'optique épique, qu'un roi soit vaincu par un roi. Ainsi, Charlemagne, qui représente le souverain de tous les chrétiens, se doit d'affronter Baligant, le souverain des Sarrasins.

7 Charlemagne et Baligant ont-ils les mêmes raisons de combattre ?

8 Relevez les expressions qui caractérisent la barbe de Charlemagne puis celle de Baligant, l. 162-169 (« [...] fleur d'aubépine. »). Les deux hommes appartiennent-ils à la même génération ?

Questions

9 Relisez les l. 172-189.

a. Quel est le cri de guerre de Charlemagne et de Baligant ?

b. Les deux hommes combattent-ils d'égal à égal ? Relevez les verbes dont le sujet est « ils ».

c. Témoignent-ils du même courage ?

10 Qui l'emporte ? Pour quelle raison et grâce à quelle intervention surnaturelle ?

Le merveilleux

Le merveilleux chrétien

11 À quel moment l'ange Gabriel intervient-il auprès de Charlemagne ? Quel rôle joue-t-il ?

Songes et prémonitions

12 Relisez le premier songe de Charlemagne (extrait 7, l. 67-82). En quoi trouve-t-il son explication dans ce passage ?

L'écriture épique

13 À quelle époque de l'année l'épisode se déroule-t-il ? Relevez les expressions qui évoquent le temps qui passe, la lumière du jour et de la nuit ou les conditions météorologiques. En quoi contribuent-elles à la poésie du texte ?

14 **a.** Quelle expression caractérise l'épée de Charlemagne (l. 136-138) ?

b. Relevez les passages où il est question de la barbe de Charlemagne. À quels moments de l'histoire cela correspond-il ? Quel est l'effet produit ?

15 Les combats épiques

> L'épopée présente le récit de combats acharnés, d'une rare violence. Les héros possèdent une force exceptionnelle.

Montrez en citant quelques exemples que le combat entre Charlemagne et Baligant est très violent. Comment la mort du vaincu est-elle évoquée ?

Chrétiens et païens

16 De quel côté le droit se trouve-t-il pour les auteurs de la *Chanson* ?

17 Montrez que l'enjeu du combat est à la fois politique et religieux : de quelle ville le vainqueur s'empare-t-il ? Comment fait-il triompher sa religion ?

18 Qu'advient-il de Marsile ? de son épouse ?

Étudier la langue

La comparaison

La comparaison est une figure de style qui consiste à rapprocher deux éléments à l'aide d'un outil de comparaison (comme, ainsi que, aussi... que).

19 « Sa barbe est blanche comme fleur d'avril. Ses cheveux bouclés sont aussi blancs que fleur d'été. »

À votre tour, à partir des expressions suivantes, créez une comparaison introduite par « comme » ou « aussi... que ».

a. Ses cheveux sont blonds. **b.** Ses yeux sont bleus. **c.** Son teint est clair. **d.** Sa peau est brune. **e.** Son destrier est rapide. **f.** La lune est brillante.

Vocabulaire : l'équipement du chevalier

20 Complétez les phrases avec : destrier, heaume, haubert, écu, épée, lance, gonfanon.

a. Les chevaliers ont revêtu leur ... à mailles, ils ont ceint leur ... à leur côté, ont recouvert leur visage de leur ..., puis ils ont enfourché leur .... Leur ... flotte au vent.

b. Les deux chevaliers se sont élancés l'un contre l'autre, ils se frappent de leur ..., leur ... vole en éclats.

21 Rendez à chaque personnage son épée.

Personnages : **a.** Olivier. **b.** Roland. **c.** Le roi Arthur. **d.** Charlemagne. **e.** L'émir Baligant. **f.** Le comte Ganelon.

Épées : **1.** Durendal. **2.** Excalibur. **3.** Joyeuse. **4.** Hauteclaire. **5.** Précieuse. **6.** Murglis.

Extrait 9

« Les Francs s'écrient : "Dieu a fait un miracle !" »

10
Aix-la-Chapelle

Charlemagne a laissé à Saragosse mille chevaliers, de bons combattants qui garderont la ville pour le compte de l'empereur. Puis il monte à cheval avec tous ses hommes, et la reine Bramimonde qu'il emmène en captivité, mais c'est pour son bien.

Ils sont repartis, pleins d'allégresse, et sont arrivés à Bordeaux, la puissante cité. Là, sur l'autel[1] du noble saint Seurin[2], il a posé l'olifant d'ivoire orné d'or. C'est là que les pèlerins peuvent encore le voir. L'empereur traverse ensuite la Gironde sur les grands navires qui s'y trouvent. Jusqu'à Blaye il a conduit son neveu, et Olivier, son noble compagnon, et l'archevêque, si sage et si vaillant. Il a fait placer les trois seigneurs dans des cercueils de marbre blancs. Ils reposent là, dans l'église Saint-Romain[3]. Les Francs les ont confiés à Dieu.

Charlemagne chevauche par les plaines et les montagnes. Il n'a pas voulu faire halte avant Aix-la-Chapelle. Dès qu'il arrive à son palais royal, il convoque ses juges, par l'intermédiaire de ses messagers. Il convoque Bavarois et Saxons, Lorrains et Frisons, Allemands, Bourguignons et Poitevins, Normands et

---

1. L'autel est la grande table de pierre où les chrétiens célèbrent la messe.
2. Au Moyen Âge, on pouvait voir, à l'église Saint-Seurin de Bordeaux, le cor de Roland.
3. À Blaye-sur-Gironde se trouvaient les tombes de Roland et Olivier. Les pèlerins se dirigeant vers Saint-Jacques-de-Compostelle allaient les visiter. On leur montrait aussi, quand ils franchissaient les Pyrénées, la « Brèche de Roland », c'est-à-dire le rocher fendu par l'épée Durendal.

20 Bretons, les plus sages du pays de France[4]. Alors seulement pourra se faire le procès de Ganelon.

L'empereur est revenu d'Espagne. Il est monté au palais et entre dans la grande salle. Voici que se présente à lui Aude, une belle jeune fille. Elle dit au roi :

25 « Où est Roland, le capitaine[5], qui a juré de me prendre pour femme ? »

Charlemagne est accablé de douleur, il pleure, il tire sa barbe blanche.

« Ma chère amie, mon enfant, tu me demandes des nouvelles
30 d'un mort. Mais je te donnerai à la place un époux d'un rang encore plus élevé : Louis, mon fils, qui gouvernera mon empire.

— Ce sont là d'étranges paroles. J'implore Dieu, ses saints et ses anges, de ne pas me laisser vivre après Roland ! »

Elle perd toute couleur et tombe aux pieds de Charlemagne.
35 Le roi croit qu'elle est évanouie, il lui prend les mains, veut la relever. Sa tête retombe sur son épaule. Elle est morte. Que Dieu ait pitié de son âme !

Charlemagne a fait venir quatre comtesses, et on l'emporte dans un monastère de religieuses. Toute la nuit, jusqu'à l'aube,
40 on la veille. Puis au pied de l'autel on l'a solennellement enterrée[6]. Le roi lui rend de très grands honneurs. Les barons pleurent, pleins de pitié pour elle.

Charlemagne a convoqué ses vassaux, qui sont venus des plus lointaines terres. Au jour solennel de saint Sylvestre, les voilà tous
45 rassemblés à Aix, dans la chapelle. Alors commence le jugement de Ganelon, qui a trahi. L'empereur l'a fait amener devant lui.

---

4. On peut se faire ici une idée de l'empire de Charlemagne, qui comprend l'actuelle Allemagne (Bavière, Saxe, Allemagne), les Pays-Bas (Frise), la France actuelle (Lorraine, Bourgogne, Poitou, Normandie).

5. Capitaine ne désigne pas un grade, comme en français moderne, mais un chef de guerre.
6. Au Moyen Âge, on désire se faire enterrer le plus près possible de l'autel, où se trouvent des reliques des saints : on se place ainsi sous leur protection.

« Seigneurs barons, dit le roi, jugez donc Ganelon selon le droit[7] ! Il a été dans l'armée jusqu'en Espagne avec moi, et il m'a fait perdre vingt mille de mes Francs, et mon neveu, que

50 vous ne verrez plus jamais, et Olivier, le preux chevalier. Il a trahi les douze pairs pour de l'argent. »

Devant le roi, Ganelon se tient debout. Son corps est vigoureux et son teint coloré. S'il était loyal, quel bon baron il ferait ! Il voit d'un côté ceux de France réunis pour le juger, et de

55 l'autre trente de ses parents qui soutiennent sa cause. Il a parlé d'une voix forte :

« Pour l'amour de Dieu, écoutez-moi, barons ! J'étais dans l'armée avec l'empereur et je l'ai servi en toute fidélité et en toute amitié. Roland son neveu me prit en haine et me condamna

60 à la souffrance et à la mort en m'envoyant comme messager chez Marsile. Là, je fus assez habile pour sauver ma vie. J'ai alors défié Roland, le guerrier, et Olivier, et tous leurs compagnons. Charlemagne et ses barons l'ont tous entendu. Je me suis vengé, mais il n'y a pas eu trahison.

65 – Nous allons délibérer », répondent les Francs.

Ganelon reste parmi les siens. Il a avec lui trente de ses parents, et parmi eux il s'en trouve un qui a toute sa confiance : c'est Pinabel, du château de Sorence. Sa terre s'étend dans le pays d'Ardenne. C'est un guerrier redoutable, et il sait parler et convaincre.

70 « J'ai confiance en vous, lui dit Ganelon. Arrachez-moi aujourd'hui à la mort et au procès !

– Vous serez bientôt sauvé. Si un Franc juge que vous méritez d'être pendu, l'empereur ne pourra pas refuser que je vous défende les armes à la main. J'apporterai la contradiction de

75 ma lame d'acier. »

---

7. Charlemagne n'a pas le droit de juger lui-même Ganelon. Il doit le faire comparaître devant un tribunal formé par ses principaux vassaux. Il organise le procès, préside ce tribunal, mais ce n'est pas lui qui prend la décision.

Ganelon comparaît devant Charlemagne.
Dessin à la plume illustrant un Roland germanique : le *Ruolandesliet*
du XIIe siècle. Universitätsbibliothek, Heidelberg.

Les barons pendant ce temps sont en train de délibérer. Les gens d'Auvergne sont les plus modérés. À cause de Pinabel, leurs propos sont fort mesurés :

« Il vaudrait mieux en rester là. Renonçons au procès et prions le roi de déclarer Ganelon quitte, pour cette fois. Désormais il devra le servir en toute fidélité. Roland est mort, ni or ni argent ne pourront le faire revenir. Il faudrait être fou pour livrer combat. »

Ils ont tous donné leur accord, à l'exception d'un seul : Thierry, le frère de Geoffroy d'Anjou. Les barons sont revenus devant Charlemagne, et lui ont déclaré :

« Seigneur, nous vous prions d'acquitter Ganelon, à condition qu'il vous serve en toute fidélité à l'avenir. Laissez-lui la vie, car c'est un homme de valeur et de haute noblesse. Sa mort ne ferait revenir aucun de nos chevaliers.

— C'est moi que vous trahissez ! »

Charlemagne voit que tous l'ont abandonné. Il baisse la tête, son visage est sombre. Quelle douleur pour lui ! Mais voici que s'avance un chevalier, Thierry. C'est le frère de Geoffroy, 95 le duc angevin. Il a le corps mince, frêle et élancé. Ses cheveux sont noirs et son visage plutôt brun. Il n'est pas très grand, ni très petit non plus. Il a parlé courtoisement à l'empereur :

« Cher seigneur roi, ne vous désolez pas ! Je vous ai déjà beaucoup servi, vous le savez. Cette accusation, je dois la soutenir, 100 pour être digne de mes ancêtres. Quel que soit le tort que Roland ait eu envers Ganelon, le simple fait d'être à votre service aurait dû le protéger. Ganelon est un félon de l'avoir trahi. Il s'est montré parjure et criminel envers vous. Pour cette raison, je juge qu'il doit mourir pendu, comme un félon. S'il a un parent ou ami qui 105 veut m'apporter son démenti, avec cette épée que j'ai au côté, je suis prêt à défendre sur-le-champ mon accusation. »

Pinabel s'est avancé devant le roi. Il est grand, vigoureux, courageux et rapide. Un seul de ses coups peut tuer son adversaire !

« Seigneur, dit-il au roi, c'est vous le juge. Commandez donc 110 qu'il y ait moins de bruit. Je vois ce Thierry, qui a porté une accusation. Je lui apporte mon démenti, et je vais combattre contre lui. »

Il lui remet entre les mains son gant en peau de cerf, et Thierry donne le sien à Charlemagne[8]. L'empereur a exigé 115 trente garants[9] pour remettre Ganelon en liberté, et les a fait garder jusqu'à ce que justice soit rendue.

Les adversaires se sont défiés dans les règles, puis ils ont réclamé armes et chevaux. Avant le combat, ils se confessent et entendent la messe. Les voilà tous les deux devant

---

8. Geste par lequel on reconnaît l'autorité de quelqu'un.
9. Lors d'un procès, on a coutume de demander des garants, qui servent de caution à l'accusé. Ils permettent de le relâcher dans l'attente du jugement, en étant sûr qu'il se présentera. Les garants s'exposent au même sort que l'accusé. C'est un rôle dangereux, et ce sont souvent les hommes de son lignage qui se proposent, par solidarité familiale.

20 Charlemagne. Ils ont revêtu des hauberts brillants et légers, chaussé des éperons d'or et lacé sur leur tête de solides heaumes. Ils ont pendu à leurs cous leurs écus et ont ceint leurs épées. Mille chevaliers pleurent alors : pour l'amour de Roland, ils ont pitié de Thierry. Dieu sait quelle sera la fin.

25 Sous les murs d'Aix s'étend une vaste prairie. Entre les deux barons, le combat s'engage. Ils sont valeureux et intrépides, leurs chevaux rapides et fougueux. Ils les éperonnent et les lancent à bride abattue. Ils s'élancent l'un contre l'autre de toute leur puissance : les écus se fracassent et sont mis en
30 pièces, les hauberts se déchirent, les sangles des selles se rompent. Ils tombent tous deux à terre.

Rapidement ils se sont relevés. Pinabel est fort, rapide et alerte. De leurs épées à la garde d'or pur, ils font pleuvoir des grêles de coups sur les heaumes d'acier. Les coups sont rudes et dislo-
35 quent les heaumes. Les chevaliers francs sont dans l'angoisse.

« Ah, mon Dieu, dit Charlemagne, faites triompher le droit ! »

Pinabel a apostrophé son adversaire :

« Thierry, reconnais-toi vaincu ! Je serai ton vassal en toute fidélité. Je te donnerai ce que tu voudras de mes richesses.
40 Mais réconcilie Ganelon avec le roi !

– Il n'en est pas question. Quel félon je ferais, si j'acceptais ! Que Dieu décide aujourd'hui qui de nous deux défend le droit ! Mais toi, Pinabel, renonce à cette bataille ! Tu es valeureux, et tes pairs connaissent ta bravoure. Je te réconcilierai avec
45 Charlemagne, mais de Ganelon, il sera fait justice.

– Par Dieu, c'est impossible ! Il ne sera pas dit que je n'ai pas soutenu mon lignage. Je ne renoncerai pour rien au monde. »

Tous deux ont recommencé à frapper. Les coups d'épées sur les heaumes font jaillir des étincelles. Impossible de les séparer :
50 le combat ne finira pas sans mort d'homme.

Pinabel de Sorence est d'une bravoure exceptionnelle. Il frappe Thierry sur son heaume : la pointe de son épée l'atteint au front et au visage, sa joue droite est toute ensanglantée. Mais Dieu le préserve et l'empêche d'être tué.

155 Thierry sent qu'il est blessé au visage, son sang clair coule sur l'herbe du pré. Il frappe Pinabel sur son heaume d'acier : il l'a brisé et fendu jusqu'au nasal. Hors de la tête il lui répand la cervelle. Son adversaire s'abat mort sur le sol. Par ce coup, il a gagné le combat. Les Francs s'écrient :

160 « Dieu a fait un miracle ! Il est bien juste que Ganelon soit pendu, et avec lui tous ses parents, qui ont été ses garants. »

Thierry a gagné la bataille. Charlemagne est venu à lui avec quatre barons, le duc Naimes, Ogier de Danemark, Geoffroy d'Anjou et Guillaume de Blaye. L'empereur a pris Thierry

165 dans ses bras et lui a essuyé le visage. Avec beaucoup de douceur, on a désarmé le chevalier. Il retourne tout joyeux à Aix, escorté par les barons.

Charlemagne appelle ses ducs et ses comtes :

« Que me conseillez-vous pour ceux que j'ai retenus ? Ils

170 ont pris le parti de Ganelon dans ce procès, et se sont livrés comme garants pour Pinabel.

– Aucun ne doit survivre ! » répondent les Francs.

Le roi a commandé à l'un de ses officiers :

« Va, et pends-les tous à cet arbre maudit ! Si un seul en

175 réchappe, tu es un homme mort. »

Ils étaient trente, tous sont pendus[10]. Celui qui trahit entraîne tous les siens dans sa perte.

Les Francs ont décidé que Ganelon devait mourir dans d'atroces souffrances. On a fait avancer quatre destriers,

180 auxquels on l'a lié par les mains et les pieds. Les chevaux sont fougueux et les sergents les fouettent chacun dans une direc-

---

10. L'exécution des garants n'est pas conforme à l'usage de l'époque, en cas de duel judiciaire. L'auteur pousse au dernier degré la responsabilité collective du lignage.

tion. Ganelon connaît une fin terrible[11] : les membres de son corps se rompent, son sang clair se répand sur l'herbe verte. Il est mort comme un traître et un lâche.

L'empereur a pris sa vengeance. Il appelle alors les évêques de France, de Bavière et d'Allemagne.

« Dans ma maison, leur dit-il, il y a une noble captive. Elle a entendu tant de sermons et de pieux récits qu'elle veut croire en Dieu et devenir chrétienne. Baptisez-la, pour que son âme soit sauvée[12].

– Qu'on lui donne des marraines de noble naissance ! »

Dans les bains d'Aix[13] on a fait baptiser la reine d'Espagne, en lui donnant le nom de Julienne. Elle connaît enfin la vraie foi.

L'empereur a rendu sa justice et apaisé sa colère. Il a converti Bramimonde à la foi chrétienne. Le jour prend fin, la nuit tombe. Charlemagne s'est couché dans sa chambre voûtée. Et voilà que l'ange Gabriel est venu lui parler de la part de Dieu :

« Charlemagne, rassemble les armées de ton empire ! Tu dois aller dans la terre de Bire[14], pour porter secours au roi Vivien. Les païens l'assiègent dans sa cité, et les chrétiens te réclament et t'implorent. »

L'empereur aurait voulu ne pas y aller.

« Dieu, fait-il, comme ma vie est lourde de peine ! »

Il verse des larmes et tire sa barbe blanche.

Ici prend fin l'histoire que Turold[15] raconte.

---

11. Là aussi, le supplice de Ganelon, l'écartèlement, n'est pas celui de l'époque. L'auteur a voulu un châtiment extraordinaire pour un crime exceptionnel : la trahison de toute une armée.
12. On pense à cette époque en Occident que seuls les chrétiens peuvent être sauvés, c'est-à-dire aller au paradis après leur mort.

13. Aix-la-Chapelle, lieu de résidence préféré de Charlemagne, est célèbre pour ses sources chaudes qui y jaillissent naturellement.
14. La terre de Bire est peut-être l'Épire (Grèce) où les Normands firent campagne en 1083-1085.
15. Voir l'introduction.

Questions

Repérer et analyser

Le retour de Charlemagne

1 Reconstituez le parcours géographique de Charlemagne.

2 Dans quel lieu Charlemagne ensevelit-il Roland et Olivier ?

3 Dans quelle ville le palais de Charlemagne se trouve-t-il ?

4 Qui est Aude ? Pourquoi meurt-elle ? L'amour est-il présent dans *La Chanson de Roland* ?

Le procès de Ganelon

Accusation et défense

5 De quoi Ganelon est-il accusé ?

6 Quels personnages soutiennent sa cause ?

7 Quel argument Ganelon trouve-t-il pour sa défense ?

8 Quel est le résultat de la délibération des Francs ? Qui est en désaccord avec ce résultat ?

Le duel judiciaire

Dans un procès, lorsque l'accusé est en désaccord avec ce qui lui est reproché, il peut demander un duel judiciaire. Chacun défend son point de vue les armes à la main ou en se faisant représenter par un champion.

9 **a.** Relevez les traits qui caractérisent Thierry et Pinabel, au physique comme au moral. Lequel apparaît comme plus fort ?

b. Pour qui chacun combat-il et au nom de quelle valeur ?

10 **a.** Où le combat a-t-il lieu ?

b. Relevez les verbes d'action et le vocabulaire de la violence. Comparez aux combats précédents (extrait 5, l 21-26 et 126-167, et extrait 8, l 172-209). Quel effet ces combats produisent-ils ?

c. Quels passages sont empreints d'émotion ?

Le sens religieux du combat

Le duel judiciaire repose sur l'idée que Dieu est l'arbitre du combat, et qu'il donne la victoire à celui qui défend une juste cause. C'est ce qu'on appelle le jugement de Dieu.

11 **a.** Quel personnage l'emporte ? Le plus fort ou le plus frêle physiquement ?

b. Montrez en citant le texte que ce personnage bénéficie de l'aide de Dieu et que le triomphe est du côté du droit.

Le supplice de Ganelon

12 Quelle est la sentence pour Ganelon ?

13 Comment meurt-il ? Quels autres personnages sont également punis ?

Le merveilleux : songes et prémonitions

14 Relisez les songes de Charlemagne (extrait 4, l. 42-49, et extrait 7, l. 83-90).

Montrez qu'ils prennent sens : dites qui sont le léopard, l'ours enchaîné, les trente autres ours, le chien de chasse qui bondit du palais et s'attaque à l'ours.

Le personnage de Charlemagne

15 Relisez les l. 193-206.

a. Quelles missions Charlemagne a-t-il accomplies ? En quoi sa victoire est-elle celle du peuple chrétien ?

b. À quoi aspire-t-il ?

16 a. Dans quel lieu et à quel moment de la journée la dernière scène se déroule-t-elle ?

b. Qui apparaît à Charlemagne ? Quelle nouvelle mission lui est confiée ?

17 Quelle est la dernière image donnée de l'empereur ? Est-elle conforme au personnage de la *Chanson* ?

Écrire

Écrire un récit

18 Faites le récit du départ de Charlemagne pour sa nouvelle mission, ainsi que de son arrivée auprès du roi Vivien.

Consignes d'écriture :

– Charlemagne réunit ses barons et l'armée des Francs, il leur fait un discours pour les inciter à aller accomplir cette nouvelle mission ;

– il s'équipe pour partir ;

– il chevauche à travers les monts et les vallées ;
– il arrive au palais du roi. Les deux hommes dialoguent ;
– introduisez des formules épiques (barbe de Charlemagne, description du paysage…).

Se documenter

Le baptême

Le mot « baptiser » vient du grec *baptizein* qui signifie « plonger ». À l'origine, le baptême était pratiqué par immersion (le corps entier est plongé dans l'eau) dans des bassins creusés dans le sol. De nos jours, le baptême catholique se limite à verser de l'eau bénite sur le front : l'eau est symbole de purification et de vie.

Lors de la cérémonie du baptême, on donne au nouveau chrétien un ou plusieurs parrains et marraines, chargés de son éducation religieuse. On lui donne aussi, à l'époque de Charlemagne, un nouveau nom, le nom d'un saint en général, qui pourra lui servir de modèle.

Baptême d'Isabelle (1372-1378), fille du roi Charles V le Sage (1338-1380).
Miniature des *Chroniques de France ou de Saint-Denis*,
fin du xivᵉ siècle. Londres, The British Library.

Questions de synthèse

La Chanson de Roland

Le texte de la Chanson

1 **a.** À quelle époque *La Chanson de Roland* a-t-elle été écrite ? En connaît-on l'auteur ?
b. Quels événements historiques l'ont inspirée ? À quelle époque ont-ils eu lieu ?

2 Quels sont les vers utilisés ? Qu'est-ce qu'une laisse ?

L'histoire racontée

3 Quelle ville résiste à Charlemagne ?

4 Qui est Marsile ? Quelle proposition fait-il à Charlemagne ?

5 **a.** Quelle mission est confiée à Ganelon ? À la demande de qui ?
b. Comment Ganelon se venge-t-il ?

6 **a.** Dans quel lieu l'arrière-garde des Francs est-elle attaquée ?
b. Qui est Olivier ? Pourquoi conseille-t-il à Roland de sonner du cor ? Pourquoi Roland refuse-t-il ?
c. Comment Roland meurt-il ?

7 Comment Charlemagne venge-t-il la mort des Francs ?

L'écriture épique

8 À quoi les formules répétées servent-elles ? Citez celles qui désignent Charlemagne, la France, le cadre de Roncevaux.

9 Qu'est-ce que le merveilleux chrétien ? Citez un ou deux exemples.

10 Citez quelques expressions qui montrent la violence des combats.

Charlemagne, chrétiens et païens

11 Quelle image la *Chanson* donne-t-elle de Charlemagne ?

12 Quelle faute Marsile a-t-il commise ? Pourquoi les chrétiens sont-ils montrés comme étant dans leur bon droit ?

13 Comment le triomphe de Charlemagne et des chrétiens se manifeste-t-il ? Quel personnage reçoit le baptême ?

Index des rubriques

Table des illustrations

2 : ph © Hervé Champollion/akg-images
7, 29, 64, 75, 87 : ph © Archives Hatier
24 : ph © Imagno/La Collection
43 : ph © AISA/Leemage
69 : ph © Jean-Paul Dumontier/
La Collection
94 : ph © Heritage Images/Leemage

et p. 11-13, 21-24, 31-32, 38-39, 50-52,
61-64, 70-71, 81-83, 92-94 (détail) :
ph © Archives Hatier.

Iconographie : Hatier Illustration
Graphisme : Mecano-Laurent Batard
Mise en page : A.M.G.
Cartographie : Domino
Édition : Anne Bleuzen

Achevé d'imprimer par Hérissey à Évreux (Eure) - N° 114584
Dépôt légal : 94478-9/01 - Août 2010